'urillo
'ato

Atenti, un outil pédagogiqu

Walter Murillo
Yeimy Serrato

Atenti, un outil pédagogique pour améliorer le processus attentionnel

Gérer le TDAH, une approche holistique en classe

ScienciaScripts

Imprint

Cover image: www.ingimage.com

This book is a translation from the original published under ISBN 978-3-659-06162-2.

Publisher:
Sciencia Scripts
is a trademark of
Dodo Books Indian Ocean Ltd. and OmniScriptum S.R.L publishing group

120 High Road, East Finchley, London, N2 9ED, United Kingdom
Str. Armeneasca 28/1, office 1, Chisinau MD-2012, Republic of Moldova, Europe

ISBN: 978-620-6-85361-9

Contenu

Dédicace

A nos enfants Fenix et Salomé pour nous avoir donné l'opportunité d'être parents et nous avoir guidés sur ce chemin du changement afin d'avoir une influence positive sur leur vie et leur formation.

À Dieu, parce qu'il est notre grandeur et que c'est grâce à lui que nous avons pu mener à bien ce processus en nous donnant l'intelligence, la sagesse et la patience.

Remerciements

À nos enfants, créateurs d'expériences uniques et principaux protagonistes du livre.
A nos parents qui ont forgé des êtres humains résistants et qui ont contribué d'une manière ou d'une autre au développement du processus académique.

Résumé

Le déficit d'attention se développe de plus en plus dans les contextes éducatifs, en raison du manque de détection médicale et d'approche précoce des troubles tels que le TDAH (trouble déficitaire de l'attention avec hyperactivité). Ce trouble, s'il ne fait pas l'objet d'une attention appropriée, peut entraîner de graves séquelles à l'adolescence et à l'âge adulte dans différents contextes de la vie, C'est pourquoi la stratégie pédagogique attentionnelle ATENTI a été créée. Elle associe certains contenus à un environnement d'apprentissage virtuel qui favorise les processus attentionnels des enfants dès leur plus jeune âge dans le contexte éducatif.

Dans cette recherche, la pertinence et la validation de la stratégie sont vérifiées de deux points de vue, le premier commence au niveau pédagogique par la validation du contenu de deux experts en psychopédagogie et plus tard, une validation technologique de la fonctionnalité et de la pertinence par deux experts en éducation virtuelle et en contenu numérique, pour ensuite impliquer une population du cycle 1 d'un IED de Bogota et évaluer l'impact de la stratégie dans l'aspect attentionnel.

La présente recherche est basée sur une méthode qualitative de portée exploratoire qui valide la stratégie par une argumentation scientifique approfondie des contenus articulés avec l'interface de l'environnement d'apprentissage virtuel et le processus de terrain avec les enfants.

Mots clés :

Attention, neuroplasticité, TDAH, jeu, activité physique, processus cognitifs.

1 Énoncé du problème

Le trouble déficitaire de l'attention avec hyperactivité (TDAH) est considéré comme un trouble courant chez les enfants, mais son diagnostic en Amérique latine est encore lié à des évaluations médicales, ce qui empêche de détecter davantage de cas dans des contextes tels que les salles de classe des écoles de district, où un grand pourcentage de parents n'ont pas les moyens d'avoir un suivi médical approfondi dans lequel ils peuvent définir des critères pour penser que l'enfant est atteint de TDAH (Salamanca L, 2014). (Le TDAH est défini comme un trouble mesuré par des échelles, cependant l'accent est mis sur les processus attentionnels des enfants avec une approche plus précise dans l'environnement scolaire, puisque 70% de ceux établis comme inattentifs ont des déficits d'apprentissage tandis que les 30% restants ont des problèmes de comportement (Rodrigue/. E. N., 2006), d'où l'importance d'établir des schémas d'intervention pour l'approche en milieu scolaire à un âge précoce, ce qui profiterait à leur relation académique avec leur développement biologique à travers un processus optimal.

En classe, le développement des enfants atteints du syndrome peut affecter leur vie sociale et scolaire, car ils développent des activités et des comportements qui, comme le mentionne (Mena B, 2006), affectent le libre développement des processus pédagogiques et d'autres espaces où les enfants se développent, d'où l'importance de mettre en place une aide supplémentaire dans le processus d'apprentissage et de motricité.

Dans le contexte local, l'éducation a une structure définie et des paramètres très spécifiques en termes de ce qui doit être obtenu pédagogiquement des enfants, dans le cadre du processus éducatif de la petite enfance. C'est pourquoi les propositions qui sous-tendent le processus conventionnel tracent une voie fondamentale pour soutenir le développement cognitif de l'enfant dans l'aspect attentionnel, en effectuant le suivi et l'approche appropriés en articulation avec l'éducation traditionnelle.

L'individualisation de l'apprentissage dans la structure du programme d'études pour les élèves bénéficiant d'un suivi de l'inclusion établi par le ministère de l'éducation nationale n'est pas encadrée par les documents de soutien pédagogique (lignes directrices du programme d'études, droits fondamentaux à l'apprentissage, entre autres lignes directrices nationales), Cela ne facilite pas certains processus cognitifs des enfants dans la petite enfance et renforce la nécessité de soutenir des stratégies pédagogiques qui favorisent des processus interdisciplinaires où le contexte familial et l'école sont articulés, en les considérant comme des environnements sûrs et confiants pour les enfants.

Dans le cadre du projet éducatif institutionnel de chaque école, l'approche de la population ayant des besoins spéciaux devrait être clairement définie dans le cadre des ajustements raisonnables, du programme flexible et de l'AIPR mentionnés dans le décret 1421 de 2017, qui ont un impact d'une certaine manière sur le micro-curriculaire en adaptant les stratégies et les temps d'apprentissage, sur le méso-curriculaire en adaptant la portée des objectifs académiques dans l'espace pédagogique et sur le macro-curriculaire en établissant des actions générales pour l'attention de la population d'inclusion, faire face à un changement général et à une adaptation au sein des processus académiques institutionnels, en pensant à l'équité, à la permanence et à l'accessibilité, ainsi qu'au soutien de stratégies alternatives comme soutien à leur développement cognitif, tout cela en tenant compte du fait que la population, en particulier dans la petite enfance, est totalement hétérogène, à la fois dans les processus et dans le développement cognitif, et qu'en tant qu'entité en formation, elle devrait être une prémisse récurrente de mise à jour dans les processus administratifs et pédagogiques de chaque institution.

En Amérique du Sud, l'augmentation de la prévalence du trouble déficitaire de l'attention avec hyperactivité (TDAH) est bien supérieure à la moyenne, et la Colombie en particulier a le taux de prévalence le plus élevé au monde (Llanos, Garcia, Gonzalez, & Puentes, 2019). Puentes, 2019) et ce, sans compter que les moyens et méthodes de détection sont encore précaires et les contextes ne contribuent pas à le détecter à temps, ceci en raison des difficultés économiques et de la pédagogie dans les caractéristiques du trouble, ceci est soutenu par une étude menée par l'Université de Rosario dans l'année 2014, où il est évident que plus de la moitié des cas étudiés présentent l'une des deux conditions, c'est-à-dire qu'ils ont des difficultés d'attention ou de l'hyperactivité, concluant l'importance de la détecter à un âge précoce afin de faire les approches médicales et éducatives appropriées pour améliorer leur condition à l'avenirLaisuue (2014) tiré de (Eltiempo, 2014) ; Cela tire la sonnette d'alarme dans les entités éducatives et, par conséquent, les processus pédagogiques qui devraient être menées avec ce type de population, favorisant leurs processus et les conditions dans d'autres contextes.

Depuis 2008, l'importance d'une approche précoce du trouble et de l'efficacité de son traitement a été soulignée, faute de quoi les conséquences à l'adolescence et à l'âge adulte peuvent être considérables, entraînant des comportements et des difficultés dans des contextes spécifiques.

Dans le contexte éducatif des écoles officielles, on peut mettre en évidence, de manière subjective, les importantes difficultés attentionnelles que rencontrent les enfants dans les premières étapes de l'éducation, ainsi que le manque de structure dans les processus ou les stratégies d'intervention individualisée en fonction des caractéristiques de chaque cas, L'intervention doit être structurée car il s'agit d'un trouble qui affecte le développement neuropsychologique complexe, qui varie en fonction de chaque enfant, et qui altère également des processus développementaux importants pour réaliser des activités dans un environnement "normal" (Quintanar, Gomez, Solovieva, & Bonilla, 2011). Bonilla, 2011)

"La faiblesse fonctionnelle de certains secteurs du cerveau a un effet systémique sur l'activité de l'enfant et, en général, sur le développement de toutes les sphères de la vie psychique, cognitive, affective, émotionnelle, motivationnelle et de la personnalité de l'enfant " (Quintanar, Gomez, Solovieva, & Bonilla, 2011). La qualité de vie qui devrait être démontrée à l'âge adulte, encadre le développement dès les premières années de vie, comprenant ainsi l'importance qui détermine l'approche précoce et précise de chaque cas détecté avec un déficit d'attention ou un trouble d'hyperactivité, et aussi, le soutien des stratégies attentionnelles, comme un facteur déterminant dans les processus de développement cognitif et de neuroplasticité, qui contribuent dans les structures pédagogiques avec des activités axées sur le renforcement des différents types d'attention et les contextes pour les utiliser.

Une fois le problème social abordé et la nécessité d'une stratégie sûre, fiable et articulée avec l'environnement académique, mais surtout inclusive et facilement accessible à tous les types de population, soutenant les conditions psychosociales, la spécificité de la proposition de recherche apparaît, La spécificité de la proposition de recherche, une stratégie pédagogique attentionnelle médiatisée par la technologie comme un plus d'activation dans les processus cognitifs des enfants participants, favorisant les contextes dans lesquels ils interagissent, comprendre la nécessité de réaliser une proposition durable qui favorise essentiellement le développement humain dans tous les aspects des enfants de la petite enfance dans les écoles du district ; Compte tenu de ce qui précède, la question suivante se pose : "Quel est l'impact d'un outil technologique sur le processus attentionnel découlant d'une stratégie pédagogique ?

Objectifs

Objectif général

Évaluer un outil technologique en tant que stratégie pédagogique pour améliorer le processus attentionnel chez les enfants.

Objectifs spécifiques

- Identifier les caractéristiques du TDAH susceptibles d'affecter les performances scolaires sur le plan attentionnel à l'aide d'études fiables et d'une littérature appropriée.
- Concevoir un outil technologique qui permette aux élèves du cycle 1 de l'IED Bravo Paez d'améliorer les processus attentionnels.
- Évaluer les changements présentés dans le processus attentionnel des élèves du cycle 1 de l'IED Bravo Paez afin d'identifier l'impact de l'outil.

Justification
Dans le contexte clinique immédiat, les critères de mesure des actions cognitives des enfants atteints du trouble dans leurs difficultés attentionnelles, d'hyperactivité ou combinées ne sont pas bien définis, en raison du fait que les comportements et les symptômes sont variables selon chaque cas et sont accentués ou déclenchés en fonction du contexte qui les entoure ou où ils lient leur développement cognitif et social ; Premièrement, les concepts d'hyperactivité mentionnés par (Vaquerizo, 2005), qui établissent un trouble du comportement qui rend difficile la réalisation d'actions de socialisation normales avec de nombreuses interruptions dans les processus de communication affectant d'autres scénarios de développement, par conséquent leur maturité cognitive et personnelle est affectée dans les étapes essentielles du développement humain, sont clarifiés ; deuxièmement, l'importance des processus attentionnels dans l'apprentissage, la socialisation, la compréhension du contexte dans lequel il se développe et l'appropriation de nouvelles formes du monde est prise en compte, ajoutant aux processus attentionnels, avec la perception et la mémoire, des aspects fondamentaux pour les médiations dans le développement cognitif de l'enfant (Ocampo, 2011).Par conséquent, et en comprenant que les premières étapes éducatives où les processus de préparation, la motricité globale, la motricité fine et l'acquisition de la discipline, entre autres processus, sont développés, sont essentielles pour renforcer les réseaux neuronaux correctement stimulés par le jeu et l'amusement, des méthodes propices à l'établissement de relations assertives avec les enfants. Il mentionne (Fundacioncadah.org, 2012) les avantages et les stimuli qui sont développés dans chaque zone du cerveau, 1. dans la zone sensorielle : sens et perception ; zone motrice : motricité fine, motricité globale et proprioception ; 2. dans la zone cognitive : mémoire, attention, concentration, concentration et concentration ; 3. dans la zone cognitive : mémoire, attention, concentration, concentration et concentration. Domaine cognitif : mémoire, attention, cognition, traitement logique ; 3. Domaine communicatif : langage, expression, interaction, dialogues, rituels ; 4. Domaine affectif : surmonter les peurs, les angoisses, les phobies ; Domaine social : rôles, compétences, résolution de conflits.
De cette manière, l'importance et l'utilité de la stratégie pédagogique de l'ATENTI sont détaillées, en utilisant le jeu et l'aspect ludique comme un pont pour renforcer les processus attentionnels des domaines de travail mentionnés précédemment, en soutenant le développement cognitif et la neuroplasticité à partir d'un environnement agréable et sûr pour les enfants et les tuteurs.
Le contexte familial et la dynamique scolaire sont les plus touchés dans le cadre d'un processus plus structuré de traitement du trouble déficitaire de l'attention avec hyperactivité (TDAH) ou simplement dans l'incapacité de le détecter à temps, ce qui, à long terme, génère de plus grandes difficultés dans la dynamique familiale et les contextes éducatifs, Sans parler des autres dynamiques sociales dans lesquelles il sera impliqué en tant qu'adolescent ou adulte, ce qui affecte les possibilités de devoir dépenser plus d'argent pour une approche réussie du trouble lorsque l'enfant ou l'adolescent est plus âgé (Pinto, Melia, & Miranda, 2009). Miranda, 2009), un autre argument important pour affirmer le rôle fondamental que joue la stratégie dans le contexte éducatif et familial, ainsi que son caractère inclusif, en permettant à tout type de population d'avoir accès aux contenus, quelle que soit sa position économique ou sociale, se consolidant ainsi comme une proposition ayant un impact social.
Le succès du processus dépend premièrement de l'articulation des acteurs impliqués dans le processus, les enfants, les tuteurs, les enseignants, les créateurs de la stratégie et les autres participants, et deuxièmement du soutien qui peut être donné par les concepts médicaux sur les conditions réelles de l'enfant, en termes de diagnostic, d'approches précises et de besoins spéciaux de chaque cas, à cet égard la famille joue le rôle principal dans la première étape qui est la détection précoce du trouble.
Dans l'action pratique, des activités ludiques et des jeux interactifs seront articulés à partir de la perspective de la gamification (contexte éducatif), tout cela médiatisé par un environnement d'apprentissage virtuel, qui répond à tous les paramètres nécessaires de liaison à un programme d'études conventionnel sous n'importe quel modèle pédagogique, c'est-à-dire que la stratégie est fiable et articule l'éducation conventionnelle dans les cycles initiaux de n'importe quelle école,
En recourant à la littérature pour l'examen de la pertinence de la stratégie pédagogique, l'importance

du jeu et de la ludification dans le développement cognitif et les processus moteurs des enfants est renforcée, une importance qui est apportée par n'importe quel contexte où il interagit ; D'autre part, il est indiscutable d'encadrer l'augmentation précipitée des cas d'enfants diagnostiqués, sans compter ceux qui n'ont pas accès à un système de santé adéquat, ce qui rend difficile d'avoir des chiffres précis et un traitement précoce adéquat, ce qui rend difficile pour les écoles et les contextes socio-économiques faibles d'avoir accès à des stratégies de prévention et d'action des contenus attentionnels. La proposition de recherche structure un processus conçu avec des activités axées sur les différents types d'attention, des moments conçus pour favoriser le développement cognitif et moteur, en gardant toujours à l'esprit la nécessité d'articuler la stratégie dans un contexte éducatif, où les outils et les acteurs sont fournis pour favoriser chaque moment et chaque contexte dans lequel les enfants interagissent, comprendre que l'approche adéquate et précoce garantira une amélioration considérable en fonction des conditions du déficit attentionnel de chaque cas, en ce sens que ce qui est réalisé dans les premières étapes du développement humain sera impacté dans les contextes familial, social et éducatif, à mesure que l'enfant grandit et que ses processus cognitifs requièrent davantage de stimuli pour parvenir à une adaptation sociale et personnelle adéquate à chaque besoin.

2 Cadre théorique et référentiel

Contexte

L'Espagne est l'un des pays du monde où l'on trouve le plus d'approches et d'études sur le diagnostic et le traitement du trouble déficitaire de l'attention avec hyperactivité (TDAH). En termes d'histoire, le premier à avoir parlé de quelque chose de similaire fut le docteur Alexander Crichton en 1798, décrivant des symptômes similaires à ceux que l'on connaît aujourd'hui. En 1845, le psychiatre Heinrich Hoffmanna contribue grandement au processus, lorsque dans l'une de ses publications, il annonce des symptômes définis comme hyperactifs, impulsifs et dispersés, des concepts qui, pour l'époque, ont généré beaucoup d'éloquence dans les descriptions du trouble, Mais ce n'est qu'en 1902 que le médecin George Frederic Stillpadre, spécialiste en pédiatrie, fait une description scientifique très précise des symptômes et des conditions des enfants qui, à l'époque, étaient dénommés défaut de contrôle moral et considérés comme une altération du comportement chez les garçons et les filles, l'un d'entre eux étant identifié comme une altération ponctuelle de l'attention et de l'hyperactivité. Les conditions diagnostiques du TDAH ont été étudiées pendant des décennies, définies avant l'émergence de la psychiatrie contemporaine et utilisant presque les mêmes outils pour la détection des symptômes (Quintero & Castano, 2014).

Dans le contexte international, les avancées scientifiques et la compréhension du fait que le TDAH est un trouble neurodéveloppemental et qu'il peut affecter les contextes dans lesquels les enfants se développent, en 2014, il est devenu scientifiquement évident que ce trouble doit être abordé à un stade précoce et que les garçons ont des statistiques plus élevées que les filles, affectant le fonctionnement cognitif, académique, social et familial, Les statistiques (tableau 1) montrent que depuis 2001, des efforts ont été faits dans ces pays pour détecter le trouble (Hidalgo & Sanchez, 2014), et que les pays les plus industrialisés ont mis en œuvre des pratiques cliniques qui soutiennent le travail de diagnostic, ce qui témoigne de la croissance exponentielle du trouble et de son approche thérapeutique médiocre. Sanchez, 2014)

Tableau 1 *Lignes directrices de pratique clinique relatives au trouble déficitaire de l'attention avec hyperactivité*

Tabla I. Guías de práctica clínica del trastorno por déficit de atención e hiperactividad

Organismo	*País*	*Fecha publicación*
American Academy of Pediatrics (AAP)	EE.UU.	2001, 2005, 2011
Cincinnati Children's Hospital Medical Center	EE.UU	2004
European Society for Child and Adolescent Psychiatry (ESCAP)	Union Europea	2004
European Child & Adolescent Psychiatry	Unión Europea	2006
The Texas Children's Medication Algorithm (Texas)	EE.UU	2006
American Academy of Child and Adolescent Psychiatry (AACAP)	EE.UU	2007
Institute for clinical Systems Improvement (ICSI)	EE.UU	2007
National Institute for Health and Clinical Excellence (NICE)	Reino Unido	2009, 2013
Canadian ADHD Practice Guidelines (CADDRA)	Canadá	2008, 2011
Scottish Intercollegiate Guidelines Network (SIGN)	Reino Unido	2005, 2009
Royal Australasian College of Physicians (RACP)	Australia	2009
Guía de Práctica Clínica del Sistema Nacional de Salud	España	2010

Au cours des 20 dernières années aux États-Unis, le diagnostic de TDAH a été multiplié par 6, et ces chiffres alarmants ont fait de ce trouble de l'enfance la principale méthode de consultation des enfants, en fonction du contexte et de l'environnement, les chiffres ont augmenté en raison des études et des tests spécifiques qui ont été mis en œuvre dans la communauté américaine, Comme mentionné par (Hergueras, 2016) l'utilisation de critères spécifiques augmente la fiabilité et la récurrence des tests

positifs pour le trouble, il est donc vital de pouvoir faire une approche immédiate et dans les premières années de scolarisation, ceci afin d'établir les mécanismes d'action et de contrôle pour promouvoir leur développement social et académique.
Au niveau local, des réunions latino-américaines ont eu lieu, qui ont souligné l'importance de mettre en place des programmes de soins adéquats pour les enfants handicapés.
Le TDAH, puisque, comme le mentionne la déclaration de Carthagène sur le TDAH, il figure sur la liste des problèmes de santé mentale en raison des répercussions sociales et scolaires qu'il présente, et montre également qu'au moins trente-six millions de personnes en Amérique latine souffrent de ce trouble et que seulement 23 % d'entre elles bénéficient d'un traitement approprié, ce qui tire la sonnette d'alarme quant aux projets qui doivent être avancés pour garantir l'intervention minimale permettant de recouvrer leur santé et leur bien-être dans le processus déterminé d'évolution de leur vie (De la Pena, Palacio, & Barragan, 2010). Barragan, 2010).
L'une des études les plus spécifiques a été réalisée à Bogota, en particulier dans des écoles publiques, où 1100 garçons et filles âgés de 4 à 14 ans ont été testés, ce qui a donné lieu à une prévalence positive de 57% du nombre total d'enfants qui ont participé, l'hyperactivité est la moins prédominante pendant l'étude, tandis que sur le pourcentage total, l'inattention est en tête des résultats selon les échelles du trouble chez les enfants et les enfants de 5 ans, le sexe masculin prédominant sur le sexe féminin (Velez, Talero, Gonzalez, & Ibanez, 2008), ce qui encadre l'importance du développement du présent travail et de son étude sur la façon d'améliorer les processus attentionnels chez les enfants du cycle 1 au moyen d'activités liées à l'éducation physique. Ibanez, 2008), qui souligne l'importance du développement du présent travail et de son étude sur la manière d'améliorer les processus attentionnels chez les enfants du cycle 1 au moyen d'activités liées à l'éducation physique.
Pour 2016, quelques considérations sur l'étiopathogénie et le traitement du trouble déficitaire de l'attention avec hyperactivité (TDAH) sont montrées, qui favorisent les activités quotidiennes et les actions dans chaque contexte de la vie, avec l'objectif fondamental des mesures pour atténuer le trouble et les informations associées aux morbidités et aux approches conceptuelles avec l'effet sur d'autres systèmes. Dans l'approche de la détection des conditions de chaque individu, certains paramètres essentiels sont établis pour leur détection, ces paramètres concernant les facteurs héréditaires, biologiques acquis, néorophysiologiques, génétiques, psychosociaux et environnementaux, neurochimiques et neuroanatomiques, ce qui encadre davantage le spectre dans la détection des cas dans la petite enfance avec des influences positives sur leur diagnostic et leur approche précoce, cependant, bien qu'il y ait beaucoup plus de sujets à aborder dans leur détection, le traitement continue à se conformer aux schémas établis depuis le début du vingtième siècle, une approche multidisciplinaire est la plus appropriée, avec ou sans médicaments, et son idée principale est d'avoir un impact sur les fonctions cognitives, comportementales et sociales. Entre autres mesures, il est important de poursuivre le traitement dans tous les aspects de la vie, sans négliger le sport, la nutrition, les routines planifiées, etc, Ceci est dû au fait que sans une approche préalable et adéquate au cours des premières étapes du développement de l'enfant, des problèmes d'adaptation de consommation de drogues, de comportements sexuels à risque et de comportements dissociés apparaîtront au cours de l'adolescence, ce qui aura un impact négatif sur leur contexte familial, éducatif et personnel (Portela, Carbonell, Hechavarria, & Jacas, 2016). Jacas, 2016).
Le contexte éducatif, centré sur les processus attentionnels et d'hyperactivité dans les actions académiques (Mena, 2017) expose les difficultés présentées par les enseignants lors de la planification et de l'exécution des classes avec la population détectée avec le trouble, et propose des actions et des stratégies pour aborder ces processus d'une manière efficace pour passer d'une "préoccupation" à une "occupation", comme indiqué dans son article ; Pour parvenir à la solution ou à la gestion, nous devons d'abord nous référer à la façon dont les processus académiques sont impactés par les symptômes du trouble selon les cas où ils affectent les processus attentionnels, l'hyperactivité ou la combinaison, en d'autres termes, les approches sont divisées en fonction des comportements présentés, pour les processus attentionnels dus au manque d'appréhension de la connaissance, il est recommandé

de développer un programme accompagné d'un tutorat constant, Dans le cas de l'hyperactivité, les mêmes comportements sont gérés en ajoutant un contrôle des règles et des habitudes, tout ceci étant axé sur les processus académiques dans la salle de classe et en dehors, en plus des enseignants qui jouent un rôle fondamental dans le processus, il est important de souligner leur importance en comprenant leurs besoins et en cherchant des alternatives d'enseignement pour obtenir le meilleur potentiel des enfants.

Grâce à une revue de la littérature réalisée en 2018, les principaux éléments du diagnostic et du traitement depuis 1999 ont été mis en évidence, cette revue a été réalisée dans des référentiels de revues régionales et d'articles internet, ce qui vise à recueillir au fil des années les principaux sujets en commun en ce qui concerne les caractéristiques du diagnostic et du traitement ; Il est convenu que le diagnostic est clinique et que sa détection précoce est essentielle pour prendre les mesures nécessaires afin de réduire les symptômes et leur impact social. L'entretien clinique doit être le premier à donner son avis sur le cas, puis il y aura un contact direct avec les parents et l'enfant, suivi par les échelles d'évaluation les plus appropriées déterminées par le professionnel en charge du processus, Parallèlement aux entretiens, des études neurologiques sont réalisées pour mettre en évidence les altérations communes à la population atteinte de TDAH. Une fois que tous les processus ont été menés à bien et qu'une détection plus précise a été effectuée, le traitement le plus approprié pour chaque cas est donné, qui doit être individuel et ensuite introduit dans sa composante sociale. Dans le cadre de l'approche, on conçoit une intervention de spécialistes tels que des psychologues, des psychopédagogues, des neurologues, des psychiatres, des défectologues, des ergothérapeutes, des orthophonistes et, en définitive, tout professionnel qui favorise leur développement (Francia, Migues, & Penalver, 2018). Le contexte le plus favorable et où le traitement peut être mieux mesuré est le contexte académique, en raison des activités qui y sont développées et des processus contextuels qui relient l'enfant au développement psychomoteur.

En 2019, lors du congrès de mise à jour pédiatrique, certaines études ont été partagées avec les mises à jour les plus récentes sur la gestion du TDAH, affirmant l'altération qui est causée chez l'enfant dans certaines régions du cerveau principalement originaires de composants génétiques qui altèrent leur développement neurologique présentant les symptômes du trouble, en outre entre 6 et 7 ans est l'âge idéal pour la détection car ils commencent à mûrir les structures qui régulent l'attention et il est essentiel de l'aborder dès le plus jeune âge pour éviter d'atteindre l'adolescence sans traitement adéquat et contrôlé. Ils coïncident également avec un traitement multimodal à long terme composé de 1. pharmacologie, 2. traitement comportemental intensif, 3. traitement combiné entre 1 et 2, 4. traitement habituel dans la communauté qui fait office de groupe de contrôle. Après la détection et l'attribution du traitement multimodal approprié, ils ont effectué un suivi de 14 mois, puis de 2 à 3 ans, de 6 à 8 ans, de 10 à 14 ans après le début de l'étude respectivement, ce qui conclut à un taux de contrôle asymptomatique du TDAH par rapport à ceux qui n'ont jamais eu de traitement ou de détection précoce, en bref, l'étalon-or est le traitement multimodal qui a présenté de solides résultats au fil des ans en atténuant l'impact du contexte dans lequel il interagit (Quintero F. , 2019).

En ce qui concerne le contrôle de l'interférence en 2019, une revue de la littérature a été menée sur la performance dans les tâches qui évaluent le contrôle de l'interférence chez les enfants atteints de TDAH, la méthode utilisée a été une analyse descriptive de 33 articles et 520 identifiés, après avoir effectué l'analyse de la littérature, il est déduit que les enfants atteints de TDAH ont le contrôle de l'interférence alteado avec une tendance à présenter des succès inférieurs, D'autre part, l'analyse a mis en évidence une altération des schémas d'activation neuronale et des contrôles inhibiteurs, ainsi qu'une relation dans le traitement des stimuli, ce qui confirme la fiabilité d'une altération du contrôle de l'interférence, qui a finalement un impact sur les processus scolaires en raison de leurs altérations dans le respect des règles et le contrôle des émotions dans tous les aspects de l'école. En résumé, le contrôle de l'interférence est un processus qui est évalué au moyen de tests spécifiques qui montrent les zones où le cerveau altère les processus de développement "normal" de l'enfant (Jimenez, Jose, & Restrepo, 2019).Dans les processus de détection, il est évident que la force des processus liés aux images ou aux études neurologiques est évidente, car ceux-ci donnent un peu plus de précision sur les déficiences des fonctions cérébrales qui seront fournies comme déterminant dans leur traitement, Toutes les nouvelles études contribuent donc à une détection et à une approche plus précises du trouble, dans le seul but d'offrir les meilleures possibilités et la meilleure qualité de vie dans tous les contextes aux enfants diagnostiqués comme souffrant de TDAH.

Cadre conceptuel

Dans ce qui suit, les principaux concepts pris en compte pour l'approche spécifique de la proposition de recherche seront mentionnés, en procédant à une révision spécifique, en triangulant les concepts en fonction de leur importance.

TDAH

Le trouble déficitaire de l'attention avec hyperactivité est défini comme un "trouble neurodéveloppemental caractérisé par un modèle de comportement et de fonctionnement cognitif, qui peut évoluer dans le temps et qui est susceptible d'entraîner des difficultés dans le fonctionnement cognitif, éducatif et/ou professionnel" (Quintero & Castano, 2014). Le premier est l'enfant inattentif qui génère des processus éducatifs et sociaux avec lesquels il est difficile d'éprouver de l'empathie, en plus d'être un enfant passif avec peu d'intérêt pour les tâches qui lui sont assignées, distrait et peu attentif à ses affaires, il est généralement oublieux et ne semble pas écouter lorsqu'on lui parle, il est facilement distrait et ne parvient pas à fournir un effort mental soutenu dans les activités scolaires, Le second est l'enfant hyperactif qui n'arrive pas à générer un espace adéquat pour être tranquille, est inapproprié pour les jeux, se lève souvent de sa chaise, interrompt les conversations, trouve difficile de s'asseoir pour effectuer certaines tâches et le plus grave est lorsqu'il présente des manifestations agressives dans ses contextes, et enfin il y a la convergence des deux stades qui génère des sujets d'intervention clinique plus spécifiques en raison de la particularité de chaque cas (Mena, Nicolau, Salat, Tort, & Romero, 2006). Romero, 2006).

L'épidémiologie du TDAH fait état d'une prévalence de près de 10 % dans l'ensemble de la population préscolaire, avec une incidence prédominante chez les enfants, et bien que sa validité soit encore remise en question en raison du manque de tests analytiques ou d'imagerie précis, il s'agit toujours d'un diagnostic purement clinique, Les études réalisées depuis le début du XIXe siècle montrent la grande prévalence de ce diagnostic dans le monde entier, et ce sous différents angles qui se rejoignent dans les arguments pour le définir comme un trouble qui affecte de façon marquée les enfants, affectant leur développement éducatif, familial et social. Du point de vue de l'étiopathogénie et de la spécificité, le trouble n'a pas une cause unique, mais différents facteurs émergent qui affectent chaque situation. Il y a des facteurs neurochimiques avec des altérations dans les neurotransmetteurs tels que la dopamine et la noradrénaline, qui ont une incidence directe sur les processus attentionnels et l'hyperactivité, Cela dépend de chaque fonction, c'est-à-dire que la noradrénaline est liée aux processus attentionnels et l'adrénaline à l'hyperactivité, d'où une altération des voies de régulation en fonction de chaque cas, en outre, un autre facteur qui a été étudié pour détecter précisément le trouble est le facteur neuroanatomique, dans lequel on observe une activité significativement plus faible du volume du cortex préfrontal dorsolatéral et des régions qui lui sont liées, à la suite d'une neuro-imagerie ultérieure qui montre en conclusion les différences dans les activités cérébrales des enfants souffrant de TDAH, Un autre facteur qui contient une incidence approximative de 75% dans les cas détectés est le génétique et neurobiologique avec lequel la prévalence peut varier en fonction des facteurs environnementaux et psychosociaux qui peuvent moduler leurs caractéristiques en fonction de l'impact sur les processus de développement et d'autres processus qui, à ce jour, identifier chaque test (Quintero & Castano, 2014). Castano, 2014).

La détection du TDAH commence par une série de tests établis de manière clinique, en fonction de la prévalence des symptômes dans chaque contexte et avec des actions spécifiques, et mesurés selon différents critères tels que l'âge, la symptomatogenèse, l'omniprésence et la diffusion, afin de spécifier un tableau clinique et de donner une évaluation spécifique, seul moyen fiable d'approuver un diagnostic avec une prévalence différentielle ; le soutien et les informations recueillies auprès des parents et des enseignants sont fondamentaux pour déterminer les forces et les faiblesses de chaque individu et pouvoir ainsi analyser l'approche la plus adaptée à chaque cas (Rohde, Buitelaar, Gerlach, & Faraone, 2019), une approche qui doit être fournie sous la direction d'une équipe interdisciplinaire qui favorise les inconvénients présentés dans le diagnostic et, au contraire, renforce les perspectives psychosociales qui déterminent un avenir et un développement en fonction des besoins du contexte.

L'un des points fondamentaux de l'intervention et de l'approche du TDAH est la socialisation de la famille, des enseignants et des patients à ce trouble, afin de renforcer les liens sociaux et d'éviter les préjugés dans le traitement de ce trouble complexe. Cette éducation va de pair avec l'intervention clinique et psychosociale, des interventions qui, si nécessaire, articulent la médication et d'autres processus qui améliorent les fonctions exécutives, la gestion comportementale et cognitive appropriée à chaque cas. Comme il s'agit d'un trouble complexe, dans l'approche du TDAH, les actions visent à gérer les symptômes, et pour cela, il est essentiel de prendre en compte le type d'interventions et les centres d'intérêt qui seront les plus appropriés, ce qui varie en fonction de chaque cas. Le travail doit être continu, sans oublier de percevoir les actions déterminantes du développement humain, c'est-à-dire que pendant l'enfance, l'approche correcte est fondamentale pour éviter de plus grandes complications dans les symptômes à l'adolescence ou à l'âge adulte (Rohde, Buitelaar, Gerlach, & Faraone, 2019).

Une autre source établie dans la détection du trouble est la neuropsychologie qui, en tant que science responsable de l'articulation cerveau-comportement, a contribué aux processus les plus importants dans la détection du TDAH, et est également la science qui explore plus précisément le profil et la situation de chaque cas détecté. Il est donc essentiel d'aborder les questions liées aux processus attentionnels chez les enfants présentant des signes de TDAH, afin d'établir les améliorations techniques qui peuvent être trouvées dans le processus cognitif des enfants dans des activités qui peuvent concentrer leurs processus attentionnels dans la salle de classe.

Les causes de l'origine du TDAH convergent vers une vulnérabilité biologique qui interagit avec d'autres aspects pour développer sa prévalence déterminée, parmi ces vulnérabilités nous trouvons des facteurs neurochimiques et neuroanatomiques qui ne permettent pas une régulation et une activation adéquates du cerveau dans certains processus cognitifs, d'autre part, le facteur génétique encadre une héritabilité de 75% qui peut être modulée par des influences environnementales et sociales dans les cas détectés, ce qui articule les aspects de l'origine et résulte en un diagnostic efficace (Quintero & Castano, 2014).

Pour les enfants atteints de TDAH, l'approche méthodologique doit être adaptée aux environnements dans le processus d'approche primaire, les environnements tels que la maison et l'école étant considérés comme primordiaux et devant faire l'objet d'une attention particulière afin de contribuer aux processus de développement dans tous les domaines et, en tant que tels, à la contribution psychosociale, les résultats seront plus importants (Mena, Nicolau, Salat, Tort, & Romero, 2006).

Processus attentionnels

"L'attention est le processus qui consiste à diriger l'esprit vers un objet exclusif. L'attention est un centre d'observation qui nous est donné d'une manière ou d'une autre. Pendant que nous sommes éveillés, nous sommes attentifs à tout ce qui est, même si cela [ce qui est] change toutes les six secondes. Pour ainsi dire, l'attention est le seul représentant que la conscience possède" (Lopez L., 2018), d'où l'importance que l'attention impose aux processus mentaux déterminants, tels que la concentration et la conscience, c'est pourquoi les impulsions et les processus qui sont déterminés au moyen d'une bonne attention soulignent l'importance de l'objet d'étude de ce projet.

Il existe une variabilité importante dans les temps de réponse mesurés avec l'imagerie par résonance magnétique fonctionnelle qui détermine une fréquence spontanée relativement faible dans le fonctionnement du cerveau dans les activités quotidiennes qui nous amènent à réfléchir sur les changements comportementaux des enfants atteints de TDAH mesurant les processus attentionnels et hyper;icdvid;id(G;ircf;i &. De la torre, 2013), ces changements comportementaux sont ceux qui déterminent le champ d'action dans les processus scolaires des garçons et des filles, qui concentrent les efforts pour pouvoir intervenir de manière précise et efficace les processus attentionnels avec le lien qui peut être généré dans tous les contextes où l'enfant se développe, en complément, la relation entre les processus académiques chez les enfants du cycle 1 avec leur développement cognitif est établie, car s'il n'est pas possible de focaliser ces processus attentionnels à un âge approprié, ils pourraient générer une augmentation des conditions du trouble.

Pour permettre une approche plus précise, il est essentiel de connaître les types d'attention qui s'expriment chez un individu au cours du développement de différentes activités (voir tableau 2),

Tableau 2Types *de soins selon les modules internes et externes*

Critères	Types de soins	Description	Exemple
Origine et nature des sphérules	Interne	Se réfère à la capacité de l'individu à s'occuper de ses propres processus mentaux o toute stimulation interoceptive.	les sensations physiques qui se produisent dans un état de relaxation
	Externe	Se réfère à ce qui est capté par tout stimulus externe.	Les bruits de la circulation automobile, lorsque la personne conduit.
Attitude du sujet	Bénévole	Cela dépend de la décision de l'individu de se concentrer sur une activité spécifique.	Prêter attention lorsque quelqu'un nous apprend à faire quelque chose.
	Involontaire	Dépend de la force avec laquelle le stimulus atteint le sujet	Tournez-vous vers l'endroit où un son fort est généré.
Manifestations motrices et physiologiques	Ouvrir	Elle s'accompagne de réponses motrices.	Tourner la tête lors de la perception d'un son fort
	Cachette	Pas de réponse perceptible	Essayer d'écouter une conversation sans que les protagonistes s'en aperçoivent
Intérêt pour le sujet	Divisé	Se réfère à ce qui est capturé par plusieurs modules simultanément.	quelqu'un travaille sur l'ordinateur et écoute de la musique.
	Sélectif	Il se produit lorsque l'individu concentre son intérêt sur un seul stimulus, même si l'environnement peut varier d'un stimulus à l'autre.	Parler à une seule personne lors d'une fête
Mode sensoriel	Visuel/spatial	Dépend de la capacité sensorielle à laquelle il est appliqué y est lié à l'espace	Par exemple, regarder une peKcula y écouter la radio, respectivement.
	Auditif/temporel	Dépend de la capacité sensorielle à laquelle il est appliqué y est lié à la durée du stimulus	

Note : Création propre tirée de (UNID, 2010).

Ces types d'attention, comme mentionné par (UNID, 2010), sont déterminés dans chaque action qui décrit les critères des enfants, et sont fondamentaux pour pouvoir définir le déficit d'attention dans chaque cas et dans chaque contexte, de sorte qu'en fonction de l'activité à développer, il sera possible de mesurer quel type de stimulus génère le processus attentionnel chez l'enfant et fournira des bases fondamentales pour l'approche de l'enquête en fonction des besoins particuliers et généraux du contexte de l'école.

Dans l'environnement scolaire, il est fondamental que l'enfant s'approprie les processus attentionnels dans toutes les interactions qu'il génère dans son environnement social et culturel.

et en dehors de la salle de classe, en comprenant l'éducation à partir du développement des capacités cognitives du sujet en tant qu'articulateur des processus expérientiels dans des contextes complémentaires à l'école, et dans la compréhension des éléments de l'environnement dans le but de générer des connexions cérébrales stables dans les processus d'apprentissage, en établissant l'importance des processus attentionnels dans ce travail, ainsi que la perception et la mémoire, domaines qui doivent travailler main dans la main pour la qualité de l'éducation, la performance et l'hébergement social que tous ces éléments fournissent (Ocampo, 2011).

Médiations technologiques

De nouveaux scénarios pour le développement médiatisé des TIC sont établis dans divers secteurs de la société moderne et, bien sûr, dans le domaine de l'éducation, de nouvelles stratégies sont générées à chaque fois pour dynamiser les processus d'enseignement et d'apprentissage, des processus qui ont une structure dans les transformations pédagogiques de chaque contexte, ainsi, différentes tendances émergent qui "altèrent" les processus académiques pour soutenir leur construction, leur exécution et leur rétroaction, articulant des processus face à face et virtuels, optant pour dynamiser la salle de classe ou l'espace académique d'une manière innovante (Munoz, 2016).

Comme l'exprime Cristobal Cobo, "Le binôme enfants et technologie est si doux que même les plus

sceptiques", d'où l'impact fondamental des industries du monde entier qui concentrent leurs efforts sur la génération de contenu pour ce type de population, étant donné que les nouvelles tendances en matière d'éducation contiennent une grande accumulation de médiations technologiques, par rapport à ce qui précède (Cobo, 2016) établit une triangulation de vecteurs intéressants pour définir l'importance de chaque type dans le processus d'enseignement et d'apprentissage médiatisé par les technologies, D'une part, il définit le *contenu* comme tout ce qui constitue la matière première d'un programme d'études, ce qui oblige l'enseignant à procéder à une analyse spécifique de l'information afin de pouvoir relier ce contenu à un grand nombre de sources fournies par le biais des technologies, Le deuxième point est le contenant, qui repose sur le support qui stocke, transporte, échange, modifie et distribue les contenus en fonction d'une relation dans différentes directions qui facilite l'appréhension des contenus et, enfin, le contexte qui fait référence à l'ensemble des circonstances physiques et symboliques qui établissent une certaine manière de traiter les connaissances, et ce dernier peut favoriser ou défavoriser l'ensemble du processus d'apprentissage ou le programme auquel les étudiants ont été associés. En résumé, ces trois aspects sont fondamentaux et jouent un rôle idéal dans la création, l'exécution et l'évaluation d'un processus éducatif médiatisé par les technologies du point de vue des processus d'attention des enfants à un âge précoce.
Jusqu'à ce matin même, un professeur, dans sa classe ou dans l'amphithéâtre, délivrait un savoir qui était déjà en partie dans les livres ", " L'espace centré ou focalisé de la classe ou de l'amphithéâtre peut aussi être dessiné comme le volume d'un véhicule, d'un train, d'une voiture, d'un avion, dans lequel les passagers, assis en rangs dans le wagon, l'habitacle ou le fuselage, se laissent conduire par celui qui les guide vers le savoir " (Serres) : train, voiture, avion, dans lesquels les passagers, assis en rangs dans le wagon, l'habitacle ou le fuselage, se laissent conduire par celui qui les guide vers la connaissance " (Serres, 2014), Phrases tirées du livre Poucette qui nous font réfléchir sur les changements qui se développent rapidement avec l'apparition des nouvelles technologies et les changements qui doivent être opérés dans les activités de tous les contextes éducatifs afin de les renforcer pédagogiquement, Le projet est un projet de la Commission européenne pour développer une nouvelle stratégie pour le développement des nouvelles technologies et les changements qui doivent être effectués dans les activités de tous les contextes éducatifs pour les renforcer pédagogiquement, pour les rendre plus efficaces, efficients et innovants, en remettant en question l'enseignant comme seul créateur de connaissances, de sorte que toutes les stratégies qui se déplacent autour des processus d'enseignement et d'apprentissage avec l'impact et la médiation des technologies dans la salle de classe ou le contexte d'apprentissage de l'enfant et l'enfant peut être utilisé comme un outil pour le développement des nouvelles technologies.
L'éducation des enfants devrait être guidée par les préceptes idéalistes d'une éducation de qualité pas nécessairement liée uniquement au domaine technologique mais articulée entre les différents moyens qui permettent d'ajuster et de comprendre les processus éducatifs des élèves dans leurs premières années de vie scolaire, parce que l'être humain doit avoir la possibilité de créer, de penser, de partager ses connaissances et d'utiliser les moyens en fonction des besoins sans négliger l'autonomie de la connaissance (Morales & Rodriguez, 2018).

Gamification

Le terme a commencé à être populaire à la mi-2010 lorsque les environnements numériques ont été incités avec des récompenses, comprenant que parfois il y a des processus qui deviennent "ennuyeux" dans le contexte éducatif, et c'est là que la gamification propose des aspects motivationnels dans le but d'atteindre la reconnaissance et les objectifs qui contribuent au développement intellectuel, l'élimination des obstacles, rendant les activités plus agréables, résultant en des processus de motivation individuels qui peuvent être appliqués dans différents domaines de la vie (Rodnguez & Raul, 2015). La gamification ne consiste pas toujours à créer un jeu dans le but de s'amuser, cela va au-delà d'une compréhension pédagogique avec des objectifs méthodiques, pour cette raison, elle est conforme aux caractéristiques encadrées par certains créateurs de contenu de google où ils affirment que, pour obtenir l'attention soutenue des enfants, trois points fondamentaux doivent converger, le son,

la couleur et le mouvement, alors, de l'applicabilité à la technologie, la gamification fournit sans aucun doute des composants essentiels pour l'appréhension du contenu afin d'améliorer les processus attentionnels.
Dans la didactique des temps éducatifs contemporains, dans les processus d'enseignement-apprentissage, nous voyons se refléter de plus en plus des activités réalisées avec la gamification et des éléments structurels qui reprennent des éléments des caractéristiques du jeu, pour les articuler avec les processus pédagogiques dans différents contextes éducatifs, en donnant un rôle de premier plan aux acteurs du processus éducatif, parce que l'étudiant doit avoir une participation active dans la réalisation des activités, et bien sûr l'enseignant propose sa structure pour renforcer les connaissances et les sortir des normes conventionnelles de l'éducation (Oliva, 2016). Tout ce qui est structuré comme un jeu dans le contexte éducatif ne doit pas être considéré comme de la gamification, il est donc important de structurer les contenus avec les composants appropriés créés pour avoir le bon impact dans la stratégie, et pour être en mesure de profiter pleinement de cette merveilleuse création utilisée dans différents contextes éducatifs et de formation.

Activité physique

Le concept d'activité physique est défini comme tout mouvement humain qui génère une dépense calorique importante. Tout au long de l'histoire, les êtres humains ont toujours été conscients de l'activité physique à travers toutes les actions qui déterminaient leurs processus de survie et d'adaptation. Cependant, l'activité physique chez les enfants joue un rôle fondamental dans le développement moteur et cognitif, apportant des avantages pour la santé et des habitudes pour toute la vie ; pendant l'enfance, elle renforce les systèmes musculaire, squelettique et cardiorespiratoire, et maintient l'équilibre de tous les processus physiologiques, réduisant le risque de contracter des maladies non transmissibles pendant la croissance, et dans les processus cognitifs, elle favorise la socialisation, les sentiments de satisfaction personnelle et le bien-être mental (Aznar & Webster, 2009).
Lier les processus de travail complémentaires à l'activité physique (Crisol & Campos, 2019) propose les compléments moteurs fonctionnels des enfants de 6 ans atteints de TDAH, ce qui contribue à l'articulation de tous les processus à la fois à l'école et dans le contexte de la maison, et l'impact que les actions d'activité physique proposées dans cette recherche auront avec le soutien des autres stimuli réalisés.

- Contrôle stimulant :

- Installez l'élève près du tuteur et loin des fenêtres pour éviter les distractions.
- Maintenez un contact physique et visuel pour attirer leur attention. - Placez-le à côté des collègues les plus calmes et les plus travailleurs.

- Améliorer l'autonomie :

- Alterner les temps de travail, de jeu et de repos. - Adapter les tâches à leur capacité d'attention.
- Attribuer des responsabilités.
- Récompensez-le lorsqu'il est attentif. - Travaillez à une table individuelle pour des activités plus concentrées.
- **Établir des routines quotidiennes :** assemblée quotidienne, exercices de relaxation et de concentration au début de la tâche, emplois du temps avec des dessins qui reflètent ce qui va être fait à chaque moment de la matinée, assemblée à la fin de la journée pour passer en revue tout ce qui a été travaillé...etc.
- **Organisation et planification :** réhabilitation des fonctions exécutives chez des enfants de 6 ans atteints de TDAH.
- Diviser les activités en petites tâches.
- Récompensez l'enfant chaque fois qu'il effectue une activité sans être distrait.
- Le port d'un casque pour le travail permet d'éviter les distractions.
- Réalisation d'activités colorées et divertissantes.
- Des règles claires, simples et précises.

- Posez des questions pour vous assurer que vous avez bien compris.
- Chef de classe.

En ce qui concerne le traitement le plus efficace pour le contrôle du TDAH, il est mentionné (Loro, et al., 2009) qu'il devrait s'agir d'une intervention purement individuelle avec un caractère multimodal combinant dans de nombreux cas l'i'armacologfa avec des interventions psychosociales comportementales, cependant des recherches plus récentes établissent l'importance de l'activité physique dans les processus cérébraux avec des bénéfices dans le contrôle des symptômes du désordre, et comme coadjuvant avec d'autres traitements, parce que l'activité physique aide à améliorer les processus cognitifs et dans la santé mentale génère un équilibre qui améliore les processus éducatifs, par exemple l'exercice aérobique avec une intensité modérée iniluencia les contrôles inhibiteurs contribuant dans les processus attentionnels dans l'environnement scolaire (Carriedo, 2014). L'environnement dans lequel l'enfant interagit avec le trouble doit être idéal pour générer des liens d'amitié et des passe-temps qui génèrent toujours une humeur optimale, et lorsque nous parlons de l'école, cet espace favorable appartient principalement aux classes d'éducation physique où l'enseignant doit être engagé dans les processus éducatifs avec des classes dynamiques, organisées, agréables et toujours supervisées pour générer l'impact requis chez les enfants, ces environnements lorsqu'ils sont développés en temps opportun et de manière planifiée ont d'assez bons résultats.

L'enfant présentant des signes du trouble a un impact favorable sur le développement de tous les contextes dans lesquels il évolue et affecte tous les processus physiologiques et cognitifs nécessaires pour que le contrôle des symptômes n'affecte pas son adolescence et sa vie d'adulte.

Développement moteur et cognitif

Le développement cognitif est étroitement lié à la stimulation et au développement moteur, compte tenu du fait que le mouvement génère des réseaux neuronaux qui permettent de concevoir différents modèles cognitifs et de se développer dans différents espaces, non seulement pour l'apprentissage, mais aussi pour les activités sociales, familiales et sportives, entre autres actions positives qui contribuent à une performance plus intégrée, ce qui a un impact sur le contexte éducatif. Nous définissons le développement cognitif en prenant certains concepts proposés par Piaget et Vygotsky qui, pour les besoins médiatisés par les technologies, nous apportent quelques lignes directrices intéressantes dans le cadre de ce processus. Piaget, de son côté, a manifesté son individualité dans l'apprentissage qui s'articule ensuite avec les contextes, ce qui conduit à la nécessité de s'adresser aux enfants présentant des signes de TDAH d'une manière particulière en fonction de leurs caractéristiques, et d'autre part, Vygotsky, qui a déclaré que l'interaction sociale aidait l'enfant à acquérir ses connaissances de manière plus efficace, ce que nous mettons en relation avec l'impact social dans de bons environnements qui doivent être garantis à l'enfant souffrant du trouble afin qu'il puisse se développer affectivement dans n'importe quel contexte tout au long de son développement (Tomas & Almenara, 2008). Almenara, 2008).

Pour sa part, la composante motrice est liée à la composante physiologique et à la maturation physique globale de ses systèmes, et les réalisations deviennent évidentes chaque fois que l'enfant parvient à maîtriser son corps et son environnement, ce qui génère à son tour de meilleures relations sociales et des liens fondamentaux pour le développement complet des enfants et a parfois un impact sur leurs processus académiques. En effet, les processus moteurs et cognitifs ont une relation très étroite dans le développement des enfants et le concept de psychomotricité apparaît qui alterne et articule les deux processus pour générer l'appropriation et l'appréhension dans les interactions que l'enfant a avec les stimuli internes et externes pour renforcer et améliorer de plus en plus leurs processus cognitifs et moteurs, étant fondamental d'aborder la stratégie en tenant compte de la particularité de chaque cas avec les actions psychomotrices qui doivent être exécutées pour renforcer leurs processus attentionnels dans n'importe quel contexte, mais en l'abordant clairement à partir de l'éducation (Maganto & Cruz, 2018). Cruz, 2018).

Le développement psychomoteur inadéquat peut générer des difficultés dans l'apprentissage car les contextes éducatifs exigent certaines conditions d'attention et d'autorégulation que les enfants atteints du trouble sont parfois incapables d'adapter et, par conséquent, l'abandon ou le redoublement apparaissent, comme le montrent des études dans certains pays européens dans lesquels la formalité, l'exécution d'activités complexes et l'organisation des activités rendent le processus pédagogique encore plus difficile, n'atteignant pas les mêmes résultats académiques (Suarez, 2017) ; le mouvement est fondamental pour l'acquisition et le perfectionnement de toutes les fonctions de l'enfant, le langage, la lecture, l'écriture et la parole commencent par des processus moteurs, permettant l'interaction avec les différents environnements en fonction des besoins de chaque cas, fournissant des relations corps-esprit et l'adaptabilité dans le domaine qui est nécessaire (Hergueras, 2016), c'est pourquoi il est si important de trouver une approche immédiate de l'impact du trouble dans le domaine éducatif afin que l'enfant ait une capacité intellectuelle qui est au moins égale au reste, En résumé, une approche est nécessaire dans tous les domaines où l'enfant se développe afin d'obtenir le contrôle des processus moteurs et cognitifs et de l'amener à un développement aussi "normal" que possible par le biais d'activités qui auront un impact sur ses compétences psychomotrices et ses interactions sociales, familiales et éducatives.

3 Cadre réglementaire

Dans la relation des droits qu'un enfant ayant des besoins spéciaux a en tant que citoyen colombien dans les domaines social et éducatif, il y a des sections de couverture et de pertinence qui préconisent les conditions optimales pour qu'il se développe de la meilleure façon, et pour être en mesure de renforcer ses processus au fur et à mesure qu'il grandit et de garantir qu'il est un être humain indépendant et apte à faire partie de la société. Pour les raisons susmentionnées, la loi 1098 de 2006 qui, dans son article 1, donne la priorité à l'égalité, à la dignité humaine en faveur de la famille et du développement social des enfants sans aucune discrimination en raison de leur condition ou de leurs capacités différentes, définit dans ses articles 28 et 29 le droit à une éducation de qualité dans la petite enfance, établissant des bases émotionnelles, cognitives et sociales respectant leurs droits, a été adoptée par le Parlement européen.

La politique publique de la loi 1804 de 2016 articule les principes énoncés dans la Constitution, le Code de l'enfance et de l'adolescence et la législation nationale et internationale associée à la protection des mécanismes d'action et de participation des enfants en Colombie ; Le développement intégral s'exprime dans la particularité de chaque enfant envisagé de 0 à 6 ans, dans lequel se manifestent les considérations significatives qui renforcent les capacités et en soi tous les composants nécessaires pour promouvoir les habitudes qui sont nécessaires pour l'ensemble du cycle de vie en commençant par la petite enfance. Dans l'article 4, section e, l'outil national est géré pour répondre aux besoins particuliers d'une manière articulée entre les entités de l'État, en déléguant des fonctions pour tous les programmes qui sont développés à partir de cette initiative, tels que le parcours de soins intégrés (RIA).

En rassemblant les considérations qui régissent le système éducatif en Colombie et en tenant compte des objectifs de l'enquête, le chapitre 5, article 69, définit les paramètres généraux de l'action en relation avec les méthodes et les contenus adaptés à chaque contexte particulier, en considérant qu'il s'agit d'un processus d'inclusion dans le système éducatif, faciliter l'appropriation par tout Colombien de l'aspect social et éducatif dans son libre développement de l'apprentissage public, avec des programmes et des processus adaptés aux besoins généraux et particuliers de la population, en favorisant le développement intégral encadré par cette loi, indépendamment du contexte, de la couche socio-économique, des capacités de l'enfant ou simplement de l'adaptation de ceux qui ont besoin d'une réadaptation sociale ou éducative, ce qui est compris comme des ajustements dans les processus académiques individualisés.

Le décret 1421 de 2017 est l'organe directeur de l'éducation inclusive qui émane le parcours schématique et les conditions de la population ayant des besoins spéciaux, dans le contexte éducatif, afin d'atteindre la qualité, la pertinence, l'équité, l'interculturalité, la diversité et la participation des enfants couverts par les systèmes éducatifs de l'État. L'accès et le couplage des processus éducatifs sont définis comme inclusifs dans les contextes particuliers, flexibles et adaptables pour renforcer les façons dont le besoin est latent et est un garant du développement humain bien conditionné par le soutien académique approprié, en tenant compte des différentes caractéristiques, possibilités et intérêts.

L'AIPR (Plan Individuel d'Ajustement Raisonnable) est conçu pour soutenir le processus en apportant un soutien aux besoins individuels et sociaux de la population dans des environnements agréables et bien conçus, en favorisant les droits de l'homme et en ajustant les aspects pertinents de leur processus éducatif. Le PIAR (Plan Individuel d'Ajustements Raisonnables) article 2.3.3.5.I.4. numéro 11, de cette évaluation pédagogique et sociale est conçu comme un soutien au processus, qui inclut le soutien et les ajustements raisonnables pour garantir le processus d'enseignement et d'apprentissage, en tant qu'apport des documents institutionnels.

4 Cadre méthodologique

Approche

Cette recherche est axée sur une approche mixte encadrée dans un travail de caractère social où ils interviennent avec les analyses correspondantes pour donner de la fiabilité à l'enquête, dans ce cas les méthodes convergent en commençant séquentiellement avec la phase qualitative et en terminant avec la phase quantitative, comme une stratégie d'articulation (Lopez & fachelli, 2015), cette approche fournira une conception planifiée dans la création et l'évaluation d'une plateforme pédagogique, structurée, comme un apport fondamental dans le travail et sous les paramètres indiqués garantissant l'amélioration des processus attentionnels chez les enfants avec des signes de TDAH. Étant de nature mixte, le processus d'investigation sociale détermine une pluralité de méthodologies qui fonctionneront comme des garants de la possibilité de favoriser les perspectives méthodologiques de sorte que, dans ce cas, les processus soient renforcés en fonction des besoins de chaque garçon et de chaque fille.

L'approche mixte favorise la dynamique du travail avec la communauté et la fiabilité des données recueillies, en intégrant tous les contextes dans lesquels les enfants se développent, en favorisant, par le biais d'exercices physiques de base et d'autres activités, un impact positif sur certains processus neuronaux tout au long du développement humain au cours des premières années de la vie.

La structure de la plateforme crée un processus qualifiable et évaluable dans le cadre de la recherche, en permettant de mesurer chacune des cinq étapes de manière structurée dans le but de générer une argumentation professionnelle du contenu, d'articuler les composantes attentionnelles avec le soutien des TIC et d'harmoniser les objectifs de la recherche avec l'applicabilité dans le domaine d'action spécifique, le tout soutenu par des évaluations avant et après le processus, garantissant une échelle comparative de l'impact du processus sur les enfants participants.

Conception

Le processus est soutenu par des actions quotidiennes encadrées dans le contexte habituel de l'enfant, c'est-à-dire qu'ils sont participants à leur problème, il sera soutenu dans les voies conceptuelles de la conception de la recherche-action, en première mesure il est prévu de concevoir et d'appliquer un environnement d'apprentissage virtuel efficace, d'avoir un impact sur le contexte socio-éducatif d'une population présentant des déficiences attentionnelles liées au TDAH, de sorte qu'à partir de là, un processus de soutien de la population puisse être mis en place afin de rassembler les données disponibles pour chaque cas et de résoudre un problème quotidien.

La stratégie pédagogique attentionnelle analyse les contenus théoriques et expérientiels de la population, comme support aux arguments académiques qui contribuent à la mise en œuvre du processus d'évaluation, soutenu par une plateforme technologique qui fonctionne comme un instrument dans l'exécution et l'interaction avec la population étudiée, dans le but de
générer des améliorations qui indiquent une articulation des mécanismes appropriés pour répondre aux difficultés attentionnelles telles qu'elles sont encadrées dans le processus, la conception est prise en compte en tenant compte de l'approche concrète du problème, en s'adaptant aux besoins des individus et en contribuant au processus de développement neurologique, social, éducatif, et en général à tous les événements dans lesquels les processus attentionnels interagissent (Salgado, 2007), soutenus par l'outil en tant que médiation et dans ses composants.

Sensibilisation

La recherche aura une portée exploratoire, en déterminant le suivi et le contrôle possible d'un phénomène social non spécifié et ses principales propriétés en fonction du contexte immédiat (Hernandez, Fernnandez, & Baptista, 1991), en abordant la proposition d'une perspective différente en abordant un contexte nouveau tel que l'utilisation d'outils numériques dans le contexte quotidien, en utilisant des activités simples et intuitives médiatisées par la technoiographie et de nouveaux processus pédagogiques.En ayant cette portée, la recherche comprend une responsabilité inhérente aux résultats personnels et à leur impact social à long terme qui déterminera une voie pour de futures études ou approches dans le processus attentionnel des enfants souffrant de trouble du déficit de l'attention avec hyperactivité (TDAH). Elle se concentre sur un cadre qui a été peu exploré car il n'existe pas de stratégie pédagogique qui aborde les difficultés attentionnelles dans la population présentant des signes de TDAH et qui structure un processus contraignant dans lequel les enfants peuvent développer des activités planifiées et articulées dans le but de contribuer à leur développement éducatif et, en même temps, d'avoir un impact sur d'autres contextes dans lesquels l'enfant se développe.

Population

Le projet de recherche sera conçu comme une proposition sociale avec la rigueur que cela exige, dans l'homogénéité de la population, le processus sera réalisé avec des garçons et des filles de l'IED Bravo Paez âgés de 7 à 8 ans, des couches socio-économiques 1, 2 et 3, le temps dans lequel la proposition complète est développée est d'un mois de travail articulé et de 2 mois de planification et de remplissage de documents concernant les permis, les consentements éclairés et les diverses exigences, L'espace dans lequel nous travaillerons sera virtuel au moyen de plateformes numériques toutes médiatisées par un VLE (environnement d'apprentissage virtuel) qui guidera toute l'activité et le processus pendant le temps stipulé de planification, d'exécution et d'évaluation, et enfin travailler avec 10 étudiants du cycle et les caractéristiques mentionnées, caractérisant la population appropriée pour le processus de recherche à partir de toutes les phases (Hernandez S. , 2013).

L'analyse finale a pris en compte l'articulation des contenus numériques avec la population, validée par une équipe interdisciplinaire qui permettra d'approuver la fiabilité de la stratégie pédagogique de l'ATENTI.

Instruments de collecte de données

Dans le cadre de ce projet, deux processus ont été menés à bien et des instruments différents ont été utilisés.

Validation de la plate-forme

L'enquête est, selon (Hueso & Cascant, 2012) étant structurée et permettant des questions de différents niveaux, permet la collecte de données et d'informations dans le cadre d'un schéma d'investigation spécifique, et pour le cas précis de la validation de l'environnement d'apprentissage virtuel, deux enquêtes structurées ont été générées pour valider la pertinence des contenus et les moyens de mise en œuvre de l'espace, la première adressée à des experts professionnels dans le développement d'environnements d'apprentissage virtuels, qui vérifient l'organisation, la compréhension et la fonctionnalité de tous les éléments de l'AVA, ce qui ferait une expérience intuitive et agréable aux prétentions de la stratégie pédagogique attentionnelle, et la seconde adressée à des experts professionnels dans le développement d'environnements d'apprentissage virtuels, qui vérifient l'organisation, la compréhension et la fonctionnalité de tous les éléments de l'AVA, ce qui ferait une expérience intuitive et agréable aux prétentions de la stratégie pédagogique attentionnelle, Le second s'adresse à des experts psychologues professionnels qui vérifient les exercices et les activités de l'ensemble de la proposition, afin de s'assurer qu'ils répondent aux exigences proposées dans les objectifs de l'étude et qu'ils contribuent réellement à l'amélioration de l'attention dans les différents contextes, mais surtout dans l'environnement éducatif.

Prétest et posttest

Pour valider la possibilité d'améliorer les processus attentionnels des enfants participants au moyen de la stratégie pédagogique attentionnelle ATENTI, deux tests validés ont été réalisés. Ces tests sont les plus appropriés pour comparer le processus dans un avant-processus conçu avec l'enfant lors du premier contact et un après-processus situé à la fin de toutes les activités virtuelles ; ces tests ont été mis en œuvre par des professionnels compétents au moyen de la plateforme Mempas.

Test de suivi -TMT

Il consiste à exécuter une séquence de chiffres et de lettres dans le temps le plus court possible, il est divisé en deux parties, partie a : chiffres, partie b : chiffres et lettres, ce test explore l'attention sélective et divisée, et d'autres composantes qui mettent en lumière un travail plus profond dans les aspects comportementaux des enfants tels que la tolérance à la frustration, la concentration, le

séquençage, les fonctions exécutives, l'impulsivité, parmi d'autres. Pour le développement, les protocoles établis pour sa mise en œuvre ont été suivis, en termes de temps, de séquences et de suivis.
- Test de couleurs et de mots-STROOP
Il consiste à présenter des feuilles avec des couleurs et des mots, où le participant doit réaliser la séquence de lecture des mots, l'identification de la couleur avec interférence, le test explore l'attention sélective, divisée, focalisée, la perception, la vitesse de traitement, ce qui dans un environnement éducatif fournit des outils pour le suivi des processus comportementaux et l'acquisition de nouvelles connaissances. Il est validé depuis plus de 80 ans comme un outil efficace pour évaluer les effets psychopathologiques dans la population étudiée, utilisé de différentes manières selon les besoins de l'évaluateur ou du chercheur, contribuant à cette occasion dans le contexte de la recherche expérimentale (Ruiz, Luque, & Sanchez, 2020).

Risques couverts par l'enquête

Aucun risque lié à la recherche n'est envisagé, puisque l'ensemble du processus bénéficie du consentement de la population, des validateurs et des experts, et que les durées de chacun des processus ou étapes de la recherche sont calculées. En outre, les ressources
La recherche ne nécessite pas d'autorisations spéciales ou de licences d'utilisation qui empêcheraient la progression et l'achèvement des processus de la stratégie pédagogique. Enfin, étant donné qu'il s'agit d'un produit de sa propre création, il n'existe aucun conflit avec des entités, des organisations ou des personnes physiques qui empêcherait l'exécution de la proposition de recherche.

Mesures pour faire face aux complications

En raison de la situation atypique de la proposition de recherche, les complications ont été minimisées au maximum, tout d'abord la structure de validation des experts engagés dans le processus et qui apporteront leurs connaissances professionnelles pour s'assurer que la stratégie pédagogique de l'ATENTI a toutes les exigences et les paramètres optimaux pour avoir un impact positif sur la vie des enfants qui seront impliqués plus tard, Deuxièmement, les tests sont des mécanismes validés par des experts et sont sans aucun doute appropriés pour vérifier les prémisses du processus d'évaluation. La virtualité est l'alliée numéro un de ce processus, puisque, comme nous l'avons déjà dit, la pandémie n'a pas permis de rencontres en face à face, mais cela n'a pas empêché de mener à bien le processus.

5 Analyse des résultats

Pour l'analyse des résultats, une articulation est faite entre la réponse de l'expert, la comparaison avec des auteurs apparentés et enfin l'opinion des créateurs sur deux types d'enquêtes soutenues par la plateforme Questionpro, l'une dans une perspective pédagogique validée par deux professionnels de la psychologie, qui évaluent la pertinence des activités et la concordance des processus, et l'autre dans une perspective numérique, validant l'environnement virtuel d'apprentissage, dans sa forme, son accessibilité et sa fonctionnalité. Pour le travail de terrain dans l'exécution du processus, une durée de 4 semaines a été établie, en appliquant 5 activités par semaine, c'est-à-dire une activité par semaine du lundi au vendredi, avec des tests d'entrée et des tests comparatifs à la fin du processus, avec lesquels la pertinence de la plateforme et l'impact de la stratégie sur les enfants participants ont été mesurés.

Conception de la plate-forme

Le processus de recherche a été développé dans un environnement d'apprentissage virtuel, qui sera supporté par la plateforme WIX avec le lien https://waltermurillosierr.wixsite.com/atenti, cet environnement aura un design très frappant et pertinent pour le travail, dans sa structure il aura cinq modules ou sessions de travail réparties comme suit :

Activité 1 : la première activité commence par une activation physique soutenue par la plateforme YouTube qui dure environ 3 minutes, au cours de laquelle les enfants effectueront des exercices moteurs fonctionnels ; Activité 2 : dans la deuxième activité appelée " atentiactivité ", un modèle est créé qui favorise les différents types d'attention et de suivi visuel, en favorisant les stimuli cognitifs ; Activité 3 : Dans cette activité, les exercices de mouvement sont combinés avec l'utilisation de schémas d'attention spécifiques ; Activité 4 : Cette activité se concentre sur la gamification, où dans chaque session les enfants auront un défi à relever à travers un jeu, soutenu par la plateforme Genially ; Activité 4 : Cette activité se concentre sur la gamification, où dans chaque session les enfants auront un défi à relever à travers un jeu, soutenu par la plateforme Genially ; Activité 4 : Cette activité se concentre sur la gamification, où dans chaque session les enfants auront un défi à relever à travers un jeu, soutenu par la plateforme Genially ; Activité 4 : Cette activité se concentre sur la gamification, où dans chaque session les enfants auront un défi à relever à travers un jeu, soutenu par la plateforme Genially.

5: Lors de chaque session, les participants rempliront un formulaire dans lequel ils feront part de leur perception de chaque session.

Les activités sont conçues pour être développées en sessions de 25 minutes maximum, ou en fonction de chaque processus. L'idée est de structurer une stratégie pédagogique axée sur le renforcement des processus attentionnels des enfants à travers une plateforme facile à utiliser, attrayante et qui articule les contenus généraux avec l'applicabilité de chaque contexte, et comme point positif supplémentaire du processus est l'adhésion des liens entre les parents et leurs enfants, puisque ce sujet est fondamental pour culminer et obtenir l'impact désiré par les créateurs de l'ATENTI.

L'environnement d'apprentissage virtuel comporte 6 onglets de liens connexes au sein de l'outil. Chaque espace est conçu avec un objectif qui ordonne le processus de la stratégie pédagogique, offrant à l'utilisateur une expérience intuitive.

- Dans la première partie de l'APV, les principales informations relatives à l'objectif, au but et à la description de la stratégie sont établies, des liens de soutien virtuel sont proposés avec des outils faciles à utiliser qui fourniront davantage de contenu et d'activités, ainsi que l'explication de chacune des sessions (voir l'annexe A).
- **Pestana 2 Information pour les parents :** Cet espace regroupe toutes les informations pertinentes sur le TDAH et d'autres liens d'intérêt liés aux processus d'attention des enfants, il est destiné aux parents ou aux tuteurs qui accompagnent le processus (voir annexe b).
- Ce matériel peut être téléchargé au format PDF, prêt à être imprimé ou à être utilisé sur le net. Vous y trouverez non seulement du matériel pour les activités quotidiennes, mais aussi des brochures de soutien pour les activités autonomes au sein de la famille (voir l'annexe c).

- **Onglet 4 Activités :** Dans cet onglet vous trouverez les liens de chacune des sessions, lorsque vous cliquez dessus, un fichier PDF s'ouvre contenant les 5 activités de la session, chaque activité est développée dans une plateforme de support qui est directement abordée en cliquant sur l'hyperlien (voir annexe d).
- **Pestana 5 Contact :** dans cette pestana, vous pouvez trouver les données des créateurs, ainsi que laisser un message avec les données personnelles pour contacter l'utilisateur par courrier électronique (voir annexe e).
- **Panneau 6 Inscription ou connexion :** afin de garantir la confidentialité et la sécurité de la session, dans cette partie de l'APV, l'utilisateur est autorisé à s'inscrire à l'aide d'une adresse électronique, puis à se connecter pour accéder à l'ensemble du contenu de la stratégie de manière sécurisée (voir l'annexe f).

Prétest et posttest

Pour la détection et le diagnostic clinique du TDAH, il est évalué depuis l'aspect intégral du quantitatif avec des tests standardisés et des tests de performance pour spécifier les conditions, les effets et les caractéristiques de l'individu et dans le qualitatif au moyen de l'observation du contexte et du comportement réel de l'enfant dans les aspects conventionnels du développement quotidien (Aidyne, 2018), ces deux aspects sont articulés afin de fournir un rapport objectif sur les conditions de chaque cas. Bien que l'évaluation de l'attention ne se fasse pas seulement pour percevoir les effets associés au trouble et comme indiqué par (Rodnguez M., 2014) il y a d'innombrables tests, en comprenant que l'attention n'est pas unitaire et est perçue à partir de différents composants qui la focalisent et l'amènent à différentes positions d'étude et est associée à des actions cérébrales indépendantes selon chaque action, et c'est pourquoi les tests sont délimités par chaque revendication du travail d'investigation.

Pour le processus d'intervention spécifique dans les cas de TDAH détectés ou à l'étude, le domaine éducatif joue un rôle fondamental en étant capable de rassembler et de compiler toutes les informations sur les aspects forts ou ceux à améliorer et s'il y a des difficultés académiques associées afin de générer le travail et le plan d'intervention pour l'enfant ; l'équipe interdisciplinaire soutient sans aucun doute toutes les actions nécessaires dans le processus d'intervention et le domaine éducatif, en tant qu'agent de cette équipe interdisciplinaire, assure un développement complet (voir figure 10) et, à partir de là, renforce les processus qui se reflètent dans les différents contextes dans lesquels les enfants se développent (Balbuena, et al., 2014).

Figure 1 *Processus de détection, d'évaluation et d'intervention auprès des élèves souffrant de TDAH*

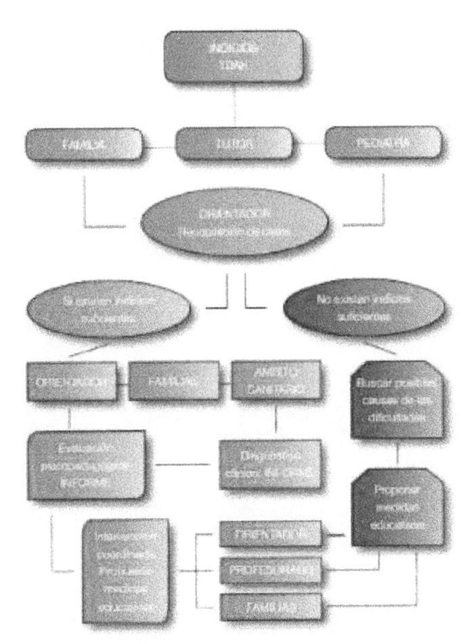

De ce qui précède, on peut déduire que la recherche s'est concentrée sur les tests qui ont permis de mesurer les difficultés attentionnelles liées au trouble du déficit de l'attention et de l'hyperactivité et, à partir de là, de contribuer au processus de la stratégie pédagogique attentionnelle afin de générer une comparaison et d'évaluer s'il y a un impact associé ; Le premier test utilisé était le tracking test -TMT, dans lequel deux tests ont été effectués, dans le test A le suivi des chiffres en séquence à partir de 1 situés dans différents espaces du test a été suivi, pour le test B le suivi des chiffres et des lettres en séquence a été effectué, où le chiffre et la lettre sont alternés respectivement, à la fin le temps pris par le garçon ou la fille dans chacun des tests a été pris ; le deuxième test utilisé était le test STROPP de couleurs et de mots, dans lequel les échelles mises à jour ont été utilisées.
"Le STROOP est composé de trois tâches ou conditions différentes. Dans la **tâche 1**, également appelée condition P word ou condition P, est une feuille comportant les mots "ROUGE", "VERT" et "BLEU" dans un ordre aléatoire et imprimés à l'encre noire. Le même mot n'apparaît jamais deux fois consécutivement dans la même colonne. Le candidat doit lire à haute voix les mots écrits. Dans la **tâche 2**, également appelée condition Couleur ou condition C, une feuille est présentée avec une série de quatre x ("XXXX") imprimés à l'encre bleue, verte ou rouge. La même couleur n'apparaît pas deux fois consécutivement dans la même colonne et ne correspond pas non plus à l'ordre des mots sur la feuille dans la tâche 1. Dans cette condition, la tâche du répondant est de nommer la couleur de l'encre dans laquelle les "X" sont imprimés. Dans la tâche 3, également appelée condition Mot-Couleur ou condition PC, une diapositive est présentée dans laquelle apparaissent les mêmes mots que ceux de la diapositive de la tâche 1, mais imprimés dans les mêmes couleurs que les séries de "X" de la tâche 2. En d'autres termes, l'élément 1 de la **tâche 3** est le mot qui apparaît comme l'élément 1 de la tâche 1 (ROUGE), mais imprimé à l'encre de la couleur de l'élément 1 de la tâche 2 (encre bleue). Ainsi, la couleur de l'encre ne correspond jamais au nom de la couleur écrite et il y a toujours une incongruence entre le mot et la couleur de l'encre. Dans cette condition, la tâche de la personne testée est de nommer la couleur de l'encre dans laquelle chaque mot est imprimé. Une limite de temps de 45 secondes est prévue pour chaque tâche. L'application complète du test, y compris les instructions, prend environ 5 minutes" (Ruiz, Luque, & Sanchez, 2020).

Prétest

Tableau 3 *Prétest*

	Genre	L'âge	Grade	Entrée dans le test						
				Suivi des TMT		STROOP				
				A	B	P	C	PC		R-Int
1	Nina 1	7 ans	Deuxième	25	50				7,74194	-1,74193548
	Nina2	7 ans	Deuxième		49			5	7,24138	-2,24137931
	Nino3	8 ans	Deuxième	25					6,74074	-0,74074074
	Nino4	7 ans	Deuxième						6,96429	0,03571429
5	Nino5	7 ans	Deuxième	30	58			8	6,66667	1,33333333
	Nina6	8 ans	Deuxième		50			5	6,46154	-1,46153846
	Nino 7	7 ans	Deuxième						8	
8	Nina8	7 ans	Première	29	65			8	6,24	1,76
9	Nina9	8 ans	Deuxième						6,96429	-2,96428571
10	Nino 10	7 ans	Deuxième	26	70			5	6,51852	-1,51851852

Note : Le tableau présente les résultats des tests d'entrée des enfants.

participants.

Dans l'application des tests d'entrée, certains écarts sont évidents par rapport aux échelles internationales établies pour mesurer le déficit attentionnel, les données obtenues ont été fondamentales pour percevoir le soutien et la planification pédagogique appropriée qui ont été apportés aux activités de l'ATENTI,

Test de suivi TMT :

D'après les résultats obtenus lors du pré-test, le déficit d'attention des enfants est lié à la difficulté de présentation du test, en mettant en évidence le manque d'association et d'enchaînement logique des chiffres et des lettres, ce qui est considéré comme un processus de travail dans les tests qui ont été développés dans la stratégie, en concentrant certaines des activités sur le travail d'enchaînement, la focalisation, la vitesse de traitement psychomoteur, l'attention sélective et l'attention divisée. En se concentrant et en exécutant des actions déterminantes pour mesurer l'attention, certains aspects susceptibles d'interférer dans les processus quotidiens, dont le processus éducatif, sont mis en évidence et, à partir de là, les efforts se sont concentrés sur la transmission d'actions générales afin de définir, à la fin du processus, la pertinence de la stratégie pédagogique attentionnelle.

Pour l'environnement éducatif, l'attention sélective fournit les modèles nécessaires pour que l'enfant puisse choisir de se concentrer sur les informations pertinentes d'un processus donné, et au contraire, les informations non pertinentes peuvent se déplacer vers l'"arrière-plan", de sorte que la réponse peut être encore plus efficace (Ballesteros, 2014), et de pouvoir déterminer dans chaque action l'articulation avec d'autres impulsions neurales, en améliorant les processus complémentaires tout au long du cycle de vie, puisque l'importance de ces approches dans l'attention sous-tend l'objectif de la recherche, le processus a été adapté aux résultats obtenus.

Test de Stropp

Le contrôle attentionnel inhibiteur facilite la suppression des actions inutiles ou inhabituelles, dans le but de s'occuper des tâches de manière plus consciente avec des résultats plus précis et de préparer le système à des activités de plus en plus complexes qui nécessitent un travail plus détaillé des processus cérébraux. Selon les résultats obtenus, dans la première et la troisième tâche, il y a des preuves d'une difficulté à différencier les objectifs du test, c'est-à-dire que les paramètres d'implication de l'attention divisée ont également gagné en importance dans la planification des activités de la stratégie pédagogique attentionnelle.

Dans ce processus, l'attention divisée, qui est comprise comme la capacité de réaliser deux ou plusieurs tâches avec les exigences nécessaires pour les réaliser sans tronquer les actions ou les ressources disponibles, en fonction de la difficulté, peut également être indispensable pour certaines des actions académiques des enfants. En particulier, il est basé sur la déficience attentionnelle qui encadre le test et sur les actions qui ont été prises pour renforcer ce processus attentionnel en fonction de l'articulation nécessaire pour améliorer les processus attentionnels généraux impactés dans les contextes quotidiens des enfants participant au test.

Exécution des séances de travail

Dans un premier temps, 20 sessions de travail individuelles ont été développées à travers l'environnement d'apprentissage virtuel, qui étaient axées sur les "pré-améliorations" nécessaires et abstraites des tests initiaux, ces activités variaient dans leurs objectifs et leurs niveaux de difficulté en fonction de l'avancement du processus.

Dans le premier accord conclu avec chacun des tuteurs, l'élément d'engagement dans la présence et l'exécution des activités a été fondamental dans les réunions virtuelles autonomes dans l'environnement d'apprentissage virtuel AVA, où un pourcentage de participation totale de plus de 90% a été mis en évidence (voir tableau 4), ce qui montre une fiabilité dans les données finales recueillies à travers les tests comparatifs dans chaque cas.

La participation garantit l'obtention de données sur les activités les plus faciles et les plus complexes, ce qui fournit individuellement une échelle comparative d'activités qui peuvent être laissées à l'état de recommandations académiques.

Tableau *4Participation totale aux activités*

	Genre	L'âge	Grade	Participation aux activités quotidiennes																				Total Partie
				Semaine 1					Semaine 2					Semaine 3					Semaine 4					
				1				5			8	9	10											
1	Nina 1	7 ans	Deuxième	1	1	1	1	1	1	1	1	1	1	1	1	1	1	1	1	1	1	1	1	
	Nina 2	7 ans	Deuxième	1	1	1	1	1	1	1	1	1	1	1	1	1	1	1	1	1	1		1	
	Nino 3	8 ans	Deuxième	1	1	1	1	1	1	1	1	1	1	1	1	1	1	1	1	1	1	1		
	Nino 4	7 ans	Deuxième	1		1	1	1	1	1		1	1	1	1	1	1	1	1	1	1	1	1	
5	Nino 5	7 ans	Deuxième	1	1	1	1	1	1	1	1		1	1	1	1	1	1	1	1	1	1	1	
	Nina 6	8 ans	Deuxième	1	1	1	1	1	1	1	1	1	1	1	1	1	1	1	1	1	1	1	1	
	Nino 7	7 ans	Deuxième	1	1	1	1	1	1	1	1		1	1	1	1	1	1	1	1	1	1	1	
8	Nina 8	7 ans	Première	1	1	1	1	1	1	1	1	1	1	1	1	1	1	1	1	1	1	1	1	
	Nina 9	8 ans	Deuxième	1	1		1	1	1	1		1	1	1	1	1	1	1	1	1	1	1	1	18
10	Nino 10	7 ans	Deuxième	1	1	1	1	1	1	1	1	1	1	1	1	1	1	1	1	1	1	1	1	
																								192

Improving the attentional conditions and therefore some motor aspects of the children is the fundamental objective of the research, and it is there, when it is reviewed in each of the sessions which activities were developed more quickly and easily (see table 5), which leads to deduce which form of attentional work is more assertive for the process of subsequent recommendations, it is thus as evidenced in the results obtained that the activities that retain some scheme of motor work had the greatest ease and the best execution time, which contrasts with (Marchan & Mera, 2020), who link the deficit of motor development to children diagnosed with or with signs of ADHD, this because, due to their condition, they are prone to poor development of basic skills, loss of basic skills, loss of motor development, etc.), which is due to the fact that, due to their condition, they are prone to the poor development of basic skills, loss of motor development and the lack of motor development. Mera, 2020), qui associent le déficit du développement moteur aux enfants diagnostiqués avec un TDAH ou présentant des signes de TDAH, du fait que, en raison de leur état, ils sont enclins à un faible développement des compétences de base, à une perte d'équilibre, de coordination, en raison de situations internes ou externes ; bien que les activités conservent les schémas de mouvement de base, on peut déduire que l'aspect moteur motive l'adaptation attentionnelle dans les différents spectres du travail.

Le développement moteur est fondamental dans presque tous les processus quotidiens, et c'est là que ce développement s'articule avec les processus qui devraient favoriser les différents types d'attention chez les enfants. Cependant, il convient de noter que la comparaison est beaucoup plus précise lorsque les résultats des activités plus complexes et de celles qui ont pris plus de temps à se développer sont indiqués, car cela déterminera une piste de travail dans les conclusions.

Tableau *5Activités réalisées plus facilement et en moins de temps*

L'activité est plus facile à réaliser

	Genre	L'âge	Grade	Semaine 1	Semaine 2	Semaine 3	Semaine 4	Predom

				1				5			8	9	10											
1	Nina 1	7 ans	Deuxième	1	1	1	1	1	1			1	1	1		1	1		1	1	1			1
	Nina 2	7 ans	Deuxième	1		1			1			1			1			1	1	1				
	Nino 3	8 ans	Deuxième	1	1			1						1	1		1	1			1	1		
	Nino 4	7 ans	Deuxième					1		1			1	1			1	1			1		1	
5	Nino 5	7 ans	Deuxième	1	1	1	1	1	1	1	1		1	1	1	1	1	1	1	1	1	1	1	1
	Nina 6	8 ans	Deuxième	1	1	1	1	1	1	1	1	1	1	1	1	1	1	1	1	1	1	1	1	1
	Nino 7	7 ans	Deuxième	1		1		1	1		1		1	1				1	1				1	1
8	Nina 8	7 ans	Prime ro																					
9	Nina9	8 ans	Deuxième	1				1	1				1			1		1			1			1-3
10	Nino 10	7 ans	Deuxième	1	1	1	1		1	1	1	1		1	1	1	1		1	1	1	1		1

Les tâches plus complexes ou celles qui requièrent une plus grande attention ont tendance à aggraver les conditions sociales, et parmi elles, l'aspect académique est affecté car les enfants se retrouvent parfois dans des situations d'isolement, En effet, les résultats de l'activité qui a causé le plus de difficultés et de temps d'exécution (voir tableau 6), sont sans aucun doute les activités où l'enfant a eu besoin d'une séquence plus complexe d'étapes pour se concentrer et exécuter une action, sans avoir besoin d'une approche plus complexe.

Cependant, (Flores, 2016) affirme qu'il faut tenir compte du fait que les enfants dans les premiers stades de développement sont distraits par le moindre stimulus, sans être capables de gérer les différents types d'attention de manière volontaire, adduisant cette condition dispersée à de multiples facteurs sociaux et familiaux qui ne deviennent pas toujours un facteur pathologique, et finalement, cet argument approuve davantage la nécessité de diagnostics de plus en plus précis pour être en mesure de travailler à partir de la perspective correcte le déficit attentionnel. Dans le cas d'enfants présentant des indications ou des diagnostics cliniques, la stratégie renforce indubitablement les processus attentionnels sous différentes perspectives, en agissant avec les moments, les stimuli et les scénarios virtuels nécessaires pour améliorer leurs capacités attentionnelles et, incidemment, les processus académiques qui sous-tendent les stimuli quotidiens.

Tableau 6 *Activités les plus difficiles et les plus longues à réaliser*

	Genre	L'âge	Grade	Activité développée avec plus de difficulté																				Total Partie
				Semaine 1					Semaine 2					Semaine 3					Semaine 4					
				1				5			8	9	10											
1	Nina 1	7 ans	Deuxième																					
	Nina 2	7 ans	Deuxième																					
	Nino 3	8 ans	Deuxième																					
	Nino 4	7 ans	Deuxième																					
5	NinoS	7 ans	Deuxième																					
	Nina 6	8 ans	Deuxième																					
	Nino 7	7 ans	Deuxième																					
8	Nina 8	7 ans	Prime ro																					
	Nina9	8 ans	Deuxième																					
10	Nino 10	7 ans	Deuxième																					

Post-test

Tableau ***7Post-test***

	Genre	L'âge	Grade	Test Exit						
				Suivi des TMT		STROOP				
				A	B	P	C	PC	tPC"	R-Int
1	Nina 1	7 ans	Deuxième		45				8,5	-1,5
	Nina2	7 ans	Deuxième	25	45				7,5	-0,5
	Nino3	8 ans	Deuxième		56			8	7,46667	0,53333333
	Nino4	7 ans	Deuxième		55			10	8,47059	1,52941176
5	Nino5	7 ans	Deuxième	25					7,46667	-0,46666667
	Nina6	8 ans	Deuxième	23	46				6,96429	-0,96428571
	Nino 7	7 ans	Deuxième	23	50				7,74194	-0,74193548
8	Nina8	7 ans	Première	25	55				8,24242	3,75757576
	Nina9	8 ans	Deuxième	25	50				7,46667	-0,46666667
10	Nino 10	7 ans	Deuxième	25	65			5	7,5	-2,5

Note : Le tableau montre les résultats des tests de sortie des enfants.

participants.

Une fois le processus de travail avec les enfants participants terminé, les tests de sortie ou post-tests ont été réalisés, ce qui a permis d'établir une relation comparative objective sur le processus et la viabilité de la stratégie pédagogique attentionnelle ATENTI ; (Garces & Suarez, 2014) mentionne la neuroplasticité comme un processus qui peut se produire à n'importe quel stade du développement humain, où le cerveau a la capacité de s'adapter à des stimuli consécutifs et se réorganise physiologiquement en fonction de la réorganisation physiologique du cerveau. Suarez, 2014) mentionne la neuroplasticité comme un processus qui peut se produire à n'importe quel stade du développement humain, où le cerveau a la capacité de s'adapter à des stimuli consécutifs et se réorganise physiologiquement en fonction de la réactivité neuronale, pour ce cas, les stimuli qui commencent à partir de ce renforcement pédagogique des activités axées sur les améliorations attentionnelles, Nous parlons de ce développement précoce afin de relier ou d'articuler non seulement les processus exécutifs, mais aussi les processus comportementaux et volontaires en fonction de chaque besoin que pose le contexte quotidien.

Test de suivi TMT.

Dans la comparaison du test d'entrée et de sortie, une amélioration considérable dans le traitement comparatif du test est évidente, c'est-à-dire que les temps d'exécution ont diminué chez 98% des participants, en parlant des tests A et B, ce qui permet de déduire que les processus de séquence logique et d'association se sont améliorés dans une certaine mesure, ayant un impact sur les processus d'attention sélective et divisée, comme conséquence des activités articulées où l'enfant devait faire attention à plus d'un stimulus et spécifier l'importance d'exécuter les fonctions adéquates pour chaque tâche, de la même manière les activités où l'enfant devait utiliser des habiletés motrices avec des tâches différentielles ont renforcé les processus de vitesse de traitement psychomoteur en partageant le besoin d'attention divisée en deux schémas corporels indépendants qui à la fin sont articulés pour générer des actions psychomotrices volontaires.

La flexibilité cognitive pour l'adaptation de nouveaux stimuli au sein du processus académique est également renforcée, ce qui favorise grandement et rend viable l'utilisation de l'environnement d'apprentissage virtuel comme support séquentiel pour l'amélioration des processus attentionnels dans la salle de classe.

Test de Stropp

Dans ce test, des améliorations dans le processus attentionnel étaient également évidentes, si nous comparons les résultats du pré-test et du post-test, où 99% des enfants ont obtenu une amélioration dans le processus, ceci mesuré à partir des capacités de l'enfant dans leurs fonctions exécutives, la vitesse de traitement et l'attention divisée, sélective et focalisée, comme c'est le but du test stroop standardisé, ceci comme un argument pour rendre les activités qui ont été développées viables, une fois que les résultats du premier test ont été connus, les activités ont été concentrées sur le renforcement des conditions générales de l'équipe sur laquelle on travaillait.

Dans le cadre de l'exécution et des résultats ultérieurs de l'étude comparative, il est démontré que l'activation des zones cérébrales et leur travail continu garantissent une amélioration de tout environnement physiologique, interne et externe, ce qui, à long terme, garantira des conditions plus optimales pour les personnes diagnostiquées comme souffrant de TDAH, en obtenant des modèles de comportement adaptables à tout contexte et une fonctionnalité "normale" dans la vie quotidienne et leurs processus de vie conventionnels, ainsi que dans l'environnement éducatif, en s'adaptant aux conditions de la "salle de classe" et en apprenant les connaissances de manière plus efficace.

Validation par des experts de la plateforme

Pour la validation pédagogique du contenu et des activités attentionnelles, le lien https://www.questionpro.com/t/ARTWDZjVy7 est désigné, le formulaire a deux parties, la première est un espace pour les données personnelles et la seconde, 5 questions spécifiques qui valident les prétentions de la proposition de recherche dans le parcours pédagogique.

Figure 2 : *Enquête de validation pédagogique. Partie 1.*

Source : création personnelle.

Validation pédagogique 1

Le premier expert, maître en psychologie et professeur à l'Université des Andes, qui élargit le spectre de la stratégie pour le domaine sportif, voyant la pertinence de l'approche dans les catégories initiales du football.

¿Existe-t-il une correspondance entre l'objectif et le contenu de la stratégie ?

Tout d'abord, la correspondance entre l'objectif et le contenu articulé de l'ATENTI est déterminée, puisqu'il encadre de manière organisée et simple chacun des contenus dans la structure conçue pour chaque session, en commençant par une activité de stimulation motrice qui amènera l'enfant à entrer dans une zone d'attention.

ciblée. Selon (Caamano, 2018), les processus de métacognition, dans lesquels les processus d'apprentissage sont immergés au cours de leur développement, permettent ou désactivent des schémas fondamentaux dans les capacités ou les compétences qui permettent différentes tâches dans le domaine académique et leur assimilation dans les contextes sociaux et familiaux en utilisant des techniques et des stratégies pour améliorer les processus cognitifs comme, dans ce cas, les processus attentionnels (voir figure 2).

Figure 3Schéma *des processus métacognitifs au niveau académique*

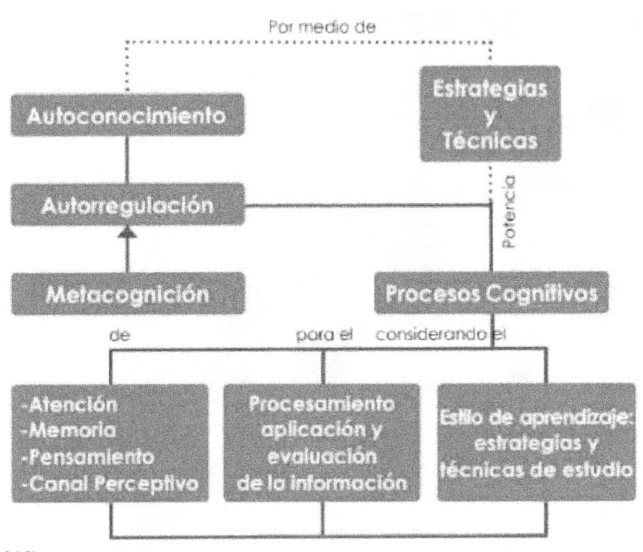

(Caamano, 2018)

parvenir à un développement autonome de ses propres compétences en matière d'acquisition de concepts.
La stratégie pédagogique de l'ATENTI favorise le renforcement du cycle attentionnel (voir figure 3), comme support au déficit de ce processus, en bref, les contenus favorisent pleinement l'objectif des activités attentionnelles et l'organisation qui est donnée à chaque session. Dans chaque session, l'objectif est de pouvoir se concentrer sur un type d'attention, ce qui relie le processus au développement cognitif de chaque activité, c'est-à-dire que chaque espace d'interaction permet l'adhésion à des stratégies individualisées afin que l'enfant parvienne à "surmonter" les défis posés de manière calme et garantisse un apprentissage autonome basé sur des processus métacognitifs, en passant par tous les points liés au cycle de l'attention tout au long du processus.

Figure 4 *Le cycle des soins*

(Martrnez, Pacheco, & Nava, 2015) Tiré de (Caamano, 2018).

(Considérez-vous que l'APV est pertinent pour l'approche attentionnelle des enfants ?
Un environnement d'apprentissage virtuel est idéal pour renforcer une approche attentionnelle, car il contient les schémas nécessaires pour attirer plus facilement l'attention des enfants grâce aux concepts de couleurs, de sons et de mouvements. Les environnements d'apprentissage virtuels sont des espaces facilitant les différentes manières d'enseigner, où différentes fonctionnalités convergent, permettant une interaction fluide et active des acteurs dans le processus, laissant de côté l'éducation traditionnelle comme seule source de génération d'expériences pédagogiques innovantes lors de la structuration de stratégies pédagogiques fonctionnelles, en outre, d'autres fonctions d'apprentissage apparaissent telles que la collaboration entre les acteurs et la connaissance de soi (Cedeno, 2019). En bref, les environnements d'apprentissage virtuels gagnent de plus en plus de force dans les environnements scolaires, en facilitant leur structure à partir de tout environnement créatif qui conduit l'utilisateur à interagir intuitivement avec le contenu établi.
(Les contenus théoriques et pratiques sont-ils articulés dans la stratégie ?
Oui, les contenus sont articulés, car l'APV est très explicatif dans les concepts théoriques et les exercices pratiques sont très clairs pour leur reconnaissance. Les stratégies pédagogiques sont des actions déterminées par chaque créateur, qui facilitent la structuration et l'organisation de scénarios pédagogiques adaptés aux contextes déterminés, elles définissent également la possibilité de transmettre et de construire des connaissances si la stratégie est bien fondée et soutenue par la rigueur académique et sont déterminées en fonction de l'action du scénario d'apprentissage (Gamboa, Gartia, & Marlen, 2013), par conséquent l'articulation du contenu du scénario d'apprentissage est très claire (Gamboa, Gartia, & Marlen, 2013). Marlen, 2013), par conséquent l'articulation du contenu est fondamentale pour donner une image de la proposition et dans son exécution pour être en mesure d'acheminer les résultats les plus fiables possibles, alors, prendre un bon concept théorique permettra que les actions pratiques soient développées plus facilement dans un contexte numérique, permettant l'inclusion de tout type de population dans la stratégie pédagogique ATENTI, en la rendant facile à comprendre et à exécuter.
(■ Pensez-vous que la stratégie est adaptée au contexte éducatif ?
Oui, la stratégie est très structurée pour un contexte éducatif, mais elle peut également être reproduite dans le contexte de l'entraînement sportif, et ses contributions sont susceptibles de réduire les déficits

attentionnels des garçons et des filles qui commencent à jouer au football. Le sport et l'activité physique peuvent constituer un pont important dans le traitement des déficits d'attention et l'acquisition de compétences cognitives qui favorisent le développement normal des processus, non seulement en contribuant aux processus de socialisation, mais aussi en orientant des actions telles que le contrôle de soi, la discipline, la canalisation des émotions, parmi d'autres actions qui, lorsqu'elles sont articulées avec des processus structurés, apportent des avantages à ces difficultés qui ne sont pas très positives pour leur développement, d'autre part, il y a des symptômes sous-jacents à chaque particularité, et où les processus qui sont réalisés dans les différents contextes où les enfants se développent sont fondamentaux pour leur traitement (ADHD, 2012), en d'autres termes, la stratégie est adaptée au contexte éducatif car elle a été créée à cette fin, mais sa contribution dans l'environnement sportif assurerait que l'enfant a une double stimulation, en profitant des avantages de chacun des contextes et où le bénéfice sera conjoint.
('.Commentaires supplémentaires ?
Aucun.
La triangulation professionnelle du premier expert conclut à la pertinence de la stratégie pédagogique de l'ATENTI dans le contexte éducatif, dans le but de favoriser les processus attentionnels des enfants qui y participent. En outre, il est proposé de l'appliquer à un contexte sportif, en raison des contenus liés à chaque session et qui, selon l'expert, amélioreront les processus de formation sportive des enfants qui ont des difficultés attentionnelles. Par conséquent, la stratégie pédagogique est validée dans sa composante curriculaire, ce qui prouve la pertinence des contenus en tant qu'activités adaptées à l'exécution de la stratégie dans sa deuxième phase avec la population déterminée.

Validation pédagogique 2

Le second est un expert psychologue de l'Université des Andes, spécialiste de la psychologie du sport et de l'exercice, qui donne une vision pédagogique très précise du processus.
(■ .y a-t-il une correspondance entre l'objectif et le contenu de la stratégie ?
Dans l'ensemble, le contenu de la stratégie est très bien conçu ; il part d'une activation physiologique pour arriver à une activation cognitive qui favorisera le processus d'attention. Beaucoup de congruence. Dans les processus attentionnels, des facteurs internes et externes convergent, des facteurs volontaires et involontaires qui déterminent l'action à développer, ou dans ce cas à travailler, en particulier chaque activité se concentre sur un type d'attention (voir figure 4), donc les exercices sont articulés avec la congruence nécessaire pour contribuer aux différents processus attentionnels, selon chaque cas, et comme mentionné (Caamano, 2018) les stratégies doivent être générales pour que le processus cognitif puisse les rendre spécifiques en fonction de chaque besoin. La correspondance est stratégique en fonction des objectifs de chaque session, et en général de toute la stratégie pédagogique, puisqu'elle est planifiée en fonction de la courbe d'activation des enfants selon leurs intérêts, qui, en raison de leur âge, peuvent les influencer assez bien.

Figure 5 *Types de soins*

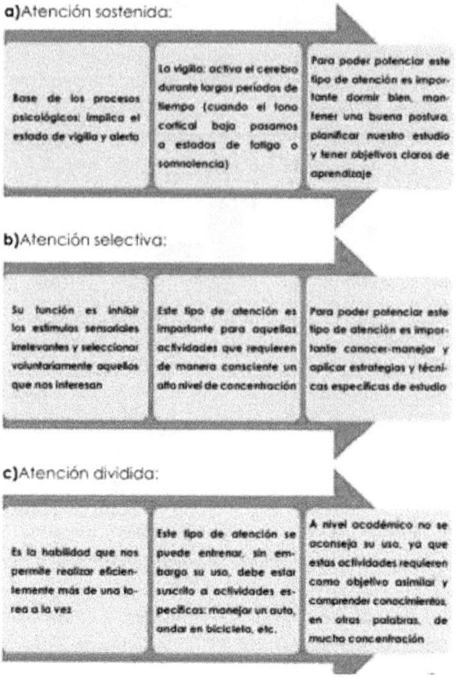

a)Atención sostenida:

Base de los procesos psicológicos: implica el estado de vigilia y alerta

La vigilia: activa el cerebro durante largos periodos de tiempo (cuando el tono cortical baja pasamos a estados de fatiga o somnolencia)

Para poder potenciar este tipo de atención es importante dormir bien, mantener una buena postura, planificar nuestro estudio y tener objetivos claros de aprendizaje

b)Atención selectiva:

Su función es inhibir los estímulos sensoriales irrelevantes y seleccionar voluntariamente aquellos que nos interesan

Este tipo de atención es importante para aquellas actividades que requieren de manera consciente un alto nivel de concentración

Para poder potenciar este tipo de atención es importante conocer-manejar y aplicar estrategias y técnicas específicas de estudio

c)Atención dividida:

Es la habilidad que nos permite realizar eficientemente más de una tarea a la vez

Este tipo de atención se puede entrenar, sin embargo su uso, debe estar suscrito a actividades específicas: manejar un auto, andar en bicicleta, etc.

A nivel académico no se aconseja su uso, ya que estas actividades requieren como objetivo asimilar y comprender conocimientos, en otras palabras, de mucha concentración

(Caamano, 2018)
(■ Considérez-vous que l'APV est pertinent pour l'approche attentionnelle des enfants ?
La virtualité fait aujourd'hui plus que jamais partie de nos vies. Les plateformes de ce type favorisent l'utilisation de plus en plus fréquente de l'environnement d'apprentissage virtuel. L'environnement d'apprentissage virtuel répond à une conception pédagogique qui améliore l'opérabilité de chaque fonction, autour de la facilité d'utilisation, de téléchargement, de visualisation et de suivi de l'ensemble du processus, de sorte qu'il s'agit d'un environnement habilitant qui répond aux paramètres d'efficacité et de sécurité qu'exige un environnement d'apprentissage virtuel (Cedeno, 2019). L'AVA remplit un rôle innovant dans la stratégie attentionnelle, qui englobe en même temps une série d'activités qui renforcent non seulement les processus attentionnels, mais aussi d'autres caractéristiques qui sous-tendent chaque session de travail, des sujets qui devraient être mis en évidence comme un plus dans la stratégie pédagogique, ce qui donne plus de validité au fait qu'il s'agit d'un processus pédagogique soutenu par la technologie.
(Les contenus théoriques et pratiques de la stratégie sont-ils articulés ?
Oui, les contenus sont très bien conçus, d'abord dans chaque domaine de l'APV un concept théorique de ce qui doit être fait dans la pratique est présenté, en outre à chaque étape du processus il y a une identité pédagogique qui permet la clarté de l'ensemble de la stratégie. Lorsque nous parlons d'articuler des concepts théoriques et pratiques, nous devons nous référer en premier lieu aux didactiques conçues à cette fin, où nous essayons de lier les processus en fonction des besoins et d'une manière qui répond aux objectifs à développer dans le cadre de la stratégie pédagogique (Alvarez, 2012), et, bien que parfois cela soit un peu complexe, dans le cas de la stratégie pédagogique ATENTI, les liens sont établis en tenant compte des considérations didactiques pour la virtualité et la présentation d'environnements d'apprentissage virtuels, ce qui, dans cette ère numérique, articule au mieux la manière de faire de l'éducation nouvelle et de prendre les technologies par la main pour en faire le meilleur usage.
(■ Pensez-vous que la stratégie est adaptée au contexte éducatif ?
Elle est appropriée, à condition que le temps soit pris en compte. Il y aura des enfants qui réussiront mieux que d'autres et il faudrait promouvoir le fait que la "compétition" se fait contre eux-mêmes et ainsi créer un climat de motivation orienté vers la tâche et non vers le résultat. Ce serait un élément très précieux dans l'éducation. Toutes les stratégies pédagogiques naissent de la nécessité d'apporter une solution à une certaine situation sociale, et ont une certaine structure pour passer par différentes étapes générant des connaissances qui répondent à différentes sources de solutions, qui sont finalement résolues avec succès au sein de la structure, comme indiqué par (Gamboa, Gartia, & Marlen, 2013), où il est indiqué par (Gamboa, Gartia, & Marlen, 2013), où il est indiqué par (Gamboa, Gartia, & Marlen, 2013), où il est indiqué par (Gamboa, Gartia, & Marlen, 2013). Marlen, 2013), où ils prennent un schéma (voir figure 5), dans lequel une ligne est proposée dans la construction de la connaissance, qui dans le cas de la stratégie se conforme à la plupart des paramètres stipulés dans sa planification de la perspective pédagogique, alors, la stratégie de tous les points de vue répond aux paramètres nécessaires pour être introduite dans un environnement pédagogique de n'importe quel contexte éducatif.

Figure 6Parcours de *la construction des connaissances*

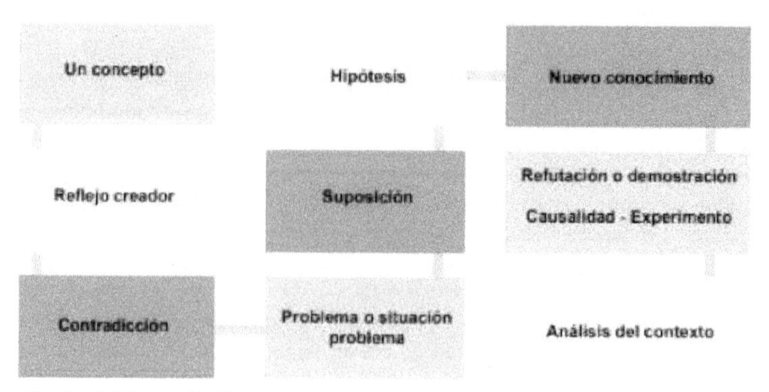

(Gamboa, Gartia, & Marlen, 2013)

('.Commentaires supplémentaires ?

Le programme est très bien conçu et, surtout, il est clair pour quiconque y accède. Toutes les images et activités sont téléchargeables, ce qui rend l'exercice encore plus facile.

En conclusion, la stratégie est validée du point de vue pédagogique, car elle respecte les paramètres exposés pour obtenir une fiabilité dans la mise en œuvre d'une deuxième phase, en considérant un soutien fondamental dans les processus attentionnels, non seulement dans le contexte éducatif, mais aussi dans des scénarios sportifs possibles, en démontrant que les activités sont cohérentes et respectent une courbe d'activation mentale qui favorise les processus de neuroplasticité, pour l'âge en formation, ces processus d'adaptation à de nouveaux stimuli dans le système nerveux soutiennent des processus cognitifs plus complexes vus sous l'angle des connexions neuronales et non de la localisation des stimuli (Garces & Suarez, 2014), contribuant au développement du processus de neuroplasticité. Le processus de neuroplasticité est un processus de développement de l'enfant (Garces & Suarez, 2014), fournissant ces nouveaux espaces de connexions neuronales qui permettent à l'enfant de renforcer les processus adaptatifs dans n'importe quel contexte, et plus encore, dans des contextes liés à la pédagogie, où il ou elle passera de nombreuses années de son développement humain, réalisant des activités qui se refléteront dans sa vie d'adulte. Grâce à ces connaissances, la stratégie est idéale pour garantir une approche primaire du TDAH dans n'importe quel contexte, en indiquant les étapes nécessaires à un suivi idéal des enfants, comme l'indiquent les études spécialisées dans l'approche précoce du TDAH.

Pour la validation de l'environnement d'apprentissage virtuel, le lien https://www.questionpro.com/t/ARTWDZjWU0 est désigné, le formulaire a deux parties, la première est un espace pour les données personnelles et la seconde, 5 questions spécifiques qui valident les prétentions de la proposition de recherche dans la voie technologique.

Validation AVA 1

Le premier expert, un enseignant de zone du secrétariat à l'éducation de Bogota, professeur d'université et expert en environnements d'apprentissage virtuels.

(L'environnement d'apprentissage virtuel est-il intuitif ?

La plateforme offre la possibilité d'une stratégie pédagogique et ses outils sont en accord avec l'objectif de chacune des activités.Dans les environnements d'apprentissage virtuels, un soutien constant est offert à toutes les étapes du processus (planification, exécution et évaluation) d'enseignement et d'apprentissage, ce qui permet de forger une interaction individuelle ou collective, individuelle parce que les activités sont menées spécifiquement pour les enfants et collective parce qu'elle doit impliquer la famille et un soutien global du processus pour le mener à bien, en plus du fait que dans l'aspect collaboratif, des idées peuvent être fournies, Par conséquent, un environnement d'apprentissage virtuel doit être intuitif pour s'adapter à n'importe quel contexte de la population. C'est pourquoi la stratégie de l'ATENTI, par le biais de son environnement virtuel, favorise sa lecture et sa

navigabilité pour quiconque décide de s'impliquer dans son contenu numérique, facilitant ainsi les processus pour qu'ils soient plus réceptifs pour les enfants.
Le contenu est-il organisé de manière à favoriser la compréhension ?
La plateforme est organisée par jours de la semaine et leurs activités complémentaires respectives, elle dispose de ressources pour télécharger des guides de soutien, des images et des vidéos de soutien. Dans le cadre du concept de la société de la connaissance qui a été incorporé au cours des années précédentes, la forte consommation d'informations technologiques, qui oblige de plus en plus rapidement à la création de nouvelles stratégies qui favorisent les processus d'enseignement et d'apprentissage médiatisés par la technologie, en même temps qui sont structurés de manière organisée pour être navigables dans différentes sources avec des informations précises et véridiques et des ressources technologiques innovantes qui contribuent dans les deux directions du processus d'enseignement et d'apprentissage, et aussi qui relient tous les acteurs impliqués dans le processus (Vinas, 2018). L'environnement d'apprentissage virtuel est conçu de manière très ludique, en tenant compte du fait que le public cible est constitué d'enfants du cycle 1 de l'enseignement traditionnel. Ainsi, des contenus organisés sont générés à partir de chaque plateforme d'interaction, depuis l'explication de la stratégie jusqu'au contenu principal des activités, constituant ainsi un espace propice à la compréhension de tous ses aspects et fournissant également des conseils continus à ceux qui utilisent l'espace d'apprentissage virtuel.
gL'APV est-il convivial (navigation, ressources, icônes, matériel) ?
Une plateforme simple qui commence par l'inscription à la page, la présentation vidéo, le téléchargement de grilles d'appui, d'images et de vidéos d'appui et le suivi des activités par jour de la semaine. Afin de structurer un environnement d'apprentissage virtuel qui facilite toutes les actions de navigation, il est nécessaire de prendre soin de certains aspects comme mentionné par (Lopez, Ledesma, & Escalera, 2009), l'un des points les plus importants est la confiance, qui se réfère à la garantie donnée à l'utilisateur de la qualité du contenu, des ressources et des matériaux utilisés, ce qui, en fin de compte, favorise une bonne expérience, c'est-à-dire un contenu téléchargeable, un espace sans interruptions et un soutien constant de la part des créateurs ; le deuxième point est l'interaction, l'important étant que l'utilisateur dispose à tout moment d'un soutien technique et pédagogique adéquat, qui réponde à ses préoccupations dans des délais de réponse modérés ; Dans le troisième point, l'accessibilité, il faut faire attention à la saturation des contenus ou des plates-formes complémentaires qui sont difficiles à manipuler ou déroutantes dans la navigation de l'environnement virtuel, en outre les conditions culturelles et économiques des participants doivent être prises en compte, pour garantir qu'il est accessible et surtout inclusif ; et enfin, dans le quatrième point, nous trouvons la motivation, qui se concentre sur le fait de ne pas abandonner le processus, en enrichissant l'environnement virtuel avec des activités créatives et attrayantes qui permettent à l'utilisateur de rester en contact avec l'espace. L'environnement d'apprentissage virtuel qui soutient la stratégie ATENTI est conçu de manière à être accessible dans tous les sens du terme, avec des activités téléchargeables, des liens faciles à trouver et une connexion interne du site qui favorise sa navigabilité dans tous les espaces interactifs qui s'y trouvent, de même que les espaces de contact et d'explication de la stratégie et de chacune des activités conçues.
Comment évaluez-vous l'aspect visuel de l'environnement d'apprentissage virtuel ? Sur une échelle de 1 à 5, où 1 correspond à un mauvais aspect visuel et 5 à un excellent aspect visuel, ma note est de 4,5, car les couleurs sont très bien définies, ce qui les rend attrayantes pour les enfants et chaque espace génère une intention d'exploration. Pour l'AVA, nous avons pris en compte la relation qui est donnée sur la psychologie des couleurs où elle joue un rôle important dans la création d'environnements d'apprentissage, en l'utilisant comme des stimuli facilitant le processus et grâce à eux il est possible d'attirer l'attention exerçant une influence sur certaines actions dans le contexte éducatif ; les couleurs elles-mêmes sont définies en fonction des contextes dans lesquels elles sont utilisées (Ortiz, 2014), et dans ce cas dans le contexte éducatif elles font partie de ces stimuli supplémentaires qui favorisent les processus. Dans l'environnement d'apprentissage virtuel de la stratégie éducative attentionnelle

ATENTI, les couleurs ont été utilisées en fonction de la relation qui se produit à chaque moment du processus (voir figure 6), en utilisant le bleu, le jaune et le rouge comme couleurs prédominantes dans l'environnement virtuel, considérant que cette échelle est importante dans les processus attentionnels des enfants en général.

Figure *7Le pouvoir des couleurs pour les enfants*

Color	Qué transmite	Beneficioso para...
Blanco	Pureza, calma y orden visual	Incentiva la creatividad
Azul	Calma, serenidad	Mejora el sueño. Bueno para niños nerviosos
Rojo	Energía, vitalidad	Ayuda en niños más tímidos
Amarillo	Positivismo, energía	Estimula la concentración. Bueno para niños con depresión
Verde	Equilibrio y calma	Mejora la capacidad lectora
Naranja	Energía y positivismo	Estimula la comunicación
Morado	Tranquilidad y misterio	Potencia la intuición

Couleur	Ce qu'il véhicule	Bénéfique pour...
Blanc	Pureté, calme et ordre visuel	Encourager la créativité
Bleu	Calme, sérénité	Améliore le sommeil. Bon pour les enfants nerveux
Rouge	Énergie, vrt alité	Aide aux enfants timides
	Positivisme, énergie	Stimule la concentration. Bon pour les enfants handicapés.
Vert	Équilibre y calme	Améliorer les compétences en lecture
Orange	Énergie y positivisme	Stimule la communication
Pourpre	Tranquillité y mystère	Renforcer l'intuition

Gufainiantii.com 2019.

/L'environnement d'apprentissage virtuel favorise-t-il l'apprentissage numérique du contenu ?

Dans tous les processus d'apprentissage, différents processus convergent entre l'environnement, l'individu et les médias, générant des impacts cognitifs dans les processus d'assimilation et d'accommodation de différents moments dans la neuroplasticité des enfants, comme le rapporte (Herrera M., Las fuentes del aprendizaje en ambientes virtuales educativos, 2002), où il met en évidence les sources des processus avec et sans l'utilisation de la technologie pour favoriser l'appréhension des contenus. Les sources de l'apprentissage dans les environnements éducatifs virtuels, 2002), où il met en évidence les sources des processus avec et sans l'utilisation de la technologie pour favoriser l'appréhension des contenus,

Figure *8Sources sans ordinateur*

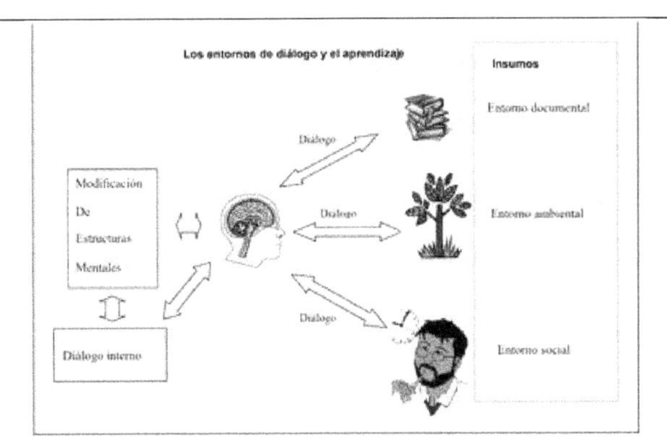

Figure 9Sources d'*utilisation de l'ordinateur*

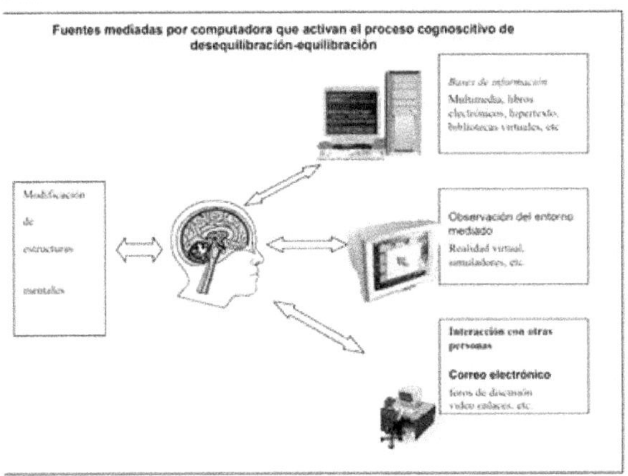

En comprenant ces sources, le fait qu'à l'aide des environnements d'apprentissage virtuels, l'apport de connaissances est plus facile, et encore plus dans le contexte attentionnel qui correspond à la stratégie pédagogique, donc l'ATENTI favorise complètement l'acquisition de nouveaux concepts cognitifs, prend plus de force.

('.Commentaires supplémentaires ?

Pour une meilleure organisation, je suggérerais plus d'onglets, afin que tout le contenu ne soit pas sur une seule page, car il est très intéressant tout le contenu, qui pourrait être vu plus organisé dans des onglets, mais en général le contenu est facile à voir et facile à trouver.

En conclusion, dans le cadre de la première validation de l'AVA, il répond spécifiquement aux exigences nécessaires pour valider son utilisation dans la stratégie, en respectant les paramètres de contenu, d'accessibilité, de ressources et, en termes généraux, son espace d'interaction, étant un environnement d'apprentissage chaleureux, où l'enfant et ses parents peuvent naviguer de manière facile et sûre, en apportant les contenus à leurs processus attentionnels à partir du contexte éducatif et formatif dans n'importe quel endroit. L'environnement virtuel fournit tous les outils pour l'introduction à la stratégie, l'accès au contenu de chacune des activités, des informations importantes, actualisées et précises sur les conditions générales du trouble déficitaire de l'attention et, comme un plus fondamental, une zone de contact avec les créateurs et le support technique de l'environnement virtuel, ce qui garantit un processus transparent et dynamique.

Validation de l'APV 2

Le second expert, enseignant au centre de formation continue du secrétariat à l'éducation, est titulaire d'un master en technologies éducatives.

gL'environnement d'apprentissage est-il intuitif ?

Oui, il est pratique et facilement accessible. Un environnement virtuel est qualifié d'intuitif lorsqu'il permet de soutenir des environnements flexibles offrant la possibilité d'un accès facile et sûr, où le développement individuel et collectif des connaissances est encouragé (Solan & Marianela, 2009). À partir de là, les besoins technologiques sont établis pour articuler les contenus avec le processus de l'environnement d'apprentissage virtuel, ce qui définit une précision dans la stratégie qui respecte pleinement les prétentions pédagogiques et technologiques.

g Le contenu est-il organisé de manière à favoriser la compréhension ?

Oui, c'est très bien structuré et organisé, le processus est compris pour chacune des sessions et les vidéos explicatives facilitent la compréhension de chaque activité. Les APV sont conçus pour les utilisateurs, ouvrant des points de connexion entre les participants et l'espace virtuel, unifiant des systèmes intégrés à des fins différentes avec des objectifs spécifiques (Angel, 2017), l'organisation du contenu est fondamentale lors de la création d'espaces technologiques dans un environnement d'apprentissage virtuel, En particulier, la stratégie ATENTI organise ses activités en fonction des prémisses établies dans la création de la virtualité, en accordant une grande attention à l'articulation des liens et des contenus, en les organisant et en les rendant faciles à comprendre dans les différents espaces disponibles dans l'environnement virtuel.

/L'APV est-il convivial (navigation, ressources, icônes, matériel) ?

Oui, il est très facile d'accès et la navigation sur la plateforme est agréable et incite à poursuivre l'exploration de chacun de ses espaces. Tout environnement d'apprentissage virtuel doit avoir des éléments pédagogiques, technologiques, curriculaires et stratégiques, ceci touchant à la construction de l'espace virtuel, mais il doit aussi avoir d'autres éléments tels que la stratégie d'enseignement et d'apprentissage, les objets d'étude, la didactique et les théories qui facilitent les processus pédagogiques et virtuels, ces éléments garantissent un environnement adéquat, capable de favoriser chacun des contenus et sa navigabilité (Saza, 2018). Dans la structuration et l'articulation de la stratégie pédagogique avec l'environnement virtuel d'apprentissage, les éléments ont été pris en compte pour faciliter dans une plus large mesure son utilisation et sa gestion dans toutes les pages et espaces virtuels, garantissant une appropriation générale et fermant l'espace de désertion en raison de la complexité de l'application.

/En ce qui concerne l'aspect visuel, comment évaluez-vous l'environnement d'apprentissage virtuel ?

Sur une échelle de 1 à 5, où 1 correspond à un mauvais aspect visuel et 5 à un excellent aspect visuel, l'expert a attribué une note de 4,5. L'aspect visuel chez les enfants ayant des difficultés attentionnelles joue un rôle fondamental lorsqu'on les implique dans une stratégie virtuelle, car, en raison de leur comportement perturbateur, chaque cas présente des altérations comportementales variables, étant fondamental que l'enfant reconnaisse à ce stade de sa vie des activités et des instances d'apprentissage liées au jeu qui favorisent son développement cognitif (Godoy & Diaz, 2016), par conséquent, il est fondamental que le participant soit capable de reconnaître l'aspect visuel du jeu d'une manière qui favorise son développement cognitif (Godoy & Diaz, 2016). Diaz, 2016), il est donc essentiel que le participant soit "accroché" dès le premier instant avec l'environnement virtuel, et l'aspect visuel remplit en ce sens avec les paramètres appropriés pour établir une relation assertive entre le processus et l'enfant.

gL'environnement d'apprentissage virtuel favorise-t-il l'apprentissage numérique du contenu ?

Oui, grâce à sa conception et à l'organisation de l'information. Dans l'intégration des processus d'enseignement-apprentissage avec les technologies, un contact plus ouvert a été généré dans le développement de processus qui exigent de plus en plus d'autonomie et d'indépendance de l'utilisateur dans le développement d'activités, exigeant une appropriation plus autonome des réalités et des connaissances du point de vue pédagogique (Rodrigue/. & Barragan, 2017), par conséquent, ils commencent à discriminer les fonctions cognitives de l'appréhension de la connaissance en fonction des stimuli externes et internes qui ont lieu dans l'exploration du contenu de l'environnement virtuel, générant des stimuli sensoriels qui, pour ce cas, s'applique comme il est l'attention (Herrera M., 2018),

Figure *10Les nouvelles technologies et leurs fonctions exécutives*

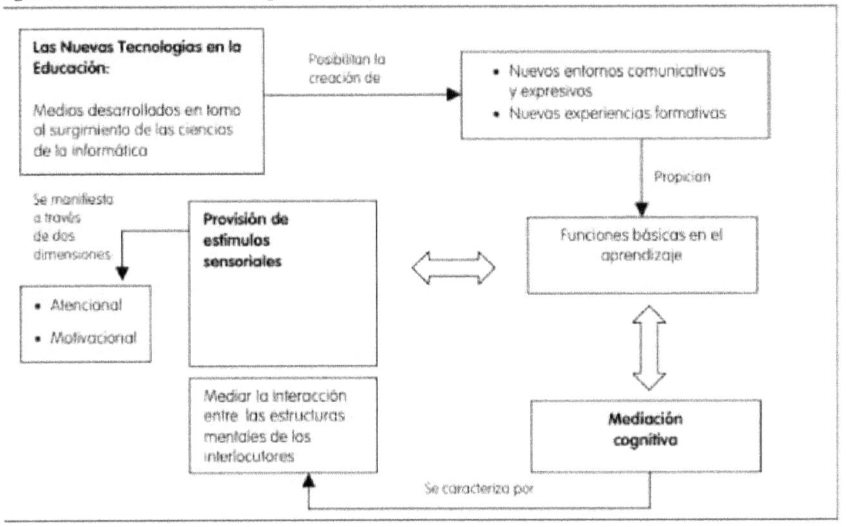

L'appréhension numérique du contenu soutenu dans l'environnement virtuel favorise les stimuli attentionnels qui donnent lieu à la stratégie pédagogique ATENTI, donc, comme les contenus sont clairs et organisés, ils sont conformes à la médiation de la connaissance soutenue par les nouvelles technologies.

¿Remarques supplémentaires ?

Un très bon travail, une très belle conception de la plate-forme, un accès et une navigation faciles. En conclusion de la validation du second expert dans l'aspect technologique, la favorabilité de l'environnement virtuel est approuvée, dans le cadre du processus de la stratégie pédagogique, puisqu'il remplit les paramètres d'organisation du contenu, d'accessibilité, de navigabilité et enfin avec tous les composants mentionnés de sorte qu'il s'agit d'un environnement sûr et amical pour tous les participants. Toutes les composantes de l'espace virtuel sont conçues sous une interface qui fournit des stimuli agréables aux enfants participants avec un modèle pédagogique conforme aux exigences de la stratégie et qui respecte les paramètres de construction d'un environnement d'apprentissage virtuel.

6 Conclusions

Les processus attentionnels en tant que stimulus cognitif sont fondamentaux lorsqu'il s'agit de développer des activités quotidiennes chez les enfants, en respectant les paramètres disciplinaires de chaque contexte. C'est pourquoi ils sont si importants et pertinents dans l'environnement éducatif, un environnement qui, avec le contexte familial, contribue le plus au développement de la neuroplasticité et d'autres processus neuronaux qui guideront l'état qui se développe chez les enfants pour le reste de leur vie ; Dans le cadre des difficultés attentionnelles du TDAH, l'importance d'une détection précoce et d'une approche adéquate au cours des premières années de vie est soulignée, dans le but de faire progresser et de renforcer les processus cognitifs dans lesquels l'enfant éprouve des difficultés dans le contexte éducatif. Afin de contribuer aux processus attentionnels des enfants présentant des signes de TDAH, la stratégie pédagogique-attentionnelle ATENTI a vu le jour, dont la première phase a permis de valider les contenus et l'environnement d'apprentissage virtuel, et la deuxième phase a été mise en œuvre avec des enfants du cycle 1 de l'IED Bravo Paez.

La recherche de la phase I est confrontée à une validation de deux points de vue, la première validation du contenu pédagogique et la seconde, validation de l'environnement d'apprentissage virtuel ou de l'interface de travail, avec dans chaque perspective deux experts, qui du côté de la composante pédagogique sont des psychologues experts dans les processus attentionnels et pour le cas technologique, deux enseignants formés aux processus virtuels.

En concrétisant les fonctionnalités des processus pédagogiques au sein de la stratégie, une validation est encadrée dans tous ses aspects, puisque la correspondance entre l'objectif, qui est de renforcer les processus attentionnels des enfants, et le contenu est évidente, ce qui permet de jeter un pont entre les prétentions particulières de chaque cas concerné, Le fait que le moyen par lequel la stratégie est mise en œuvre soit un environnement d'apprentissage virtuel, qui montre l'importance et l'impact de la technologie dans les processus actuels, en particulier dans le travail avec les enfants, est également considéré comme positif. Il existe une corrélation entre les contenus théoriques et pratiques pour l'aspect éducatif, affirmant la relation qui est évidente, puisque chaque activité est très bien soutenue théoriquement avec des informations claires et fiables, ce qui rend la stratégie opportune et valide pour être développée dans le contexte éducatif et avec la population cible. La validation et l'exécution pédagogique sont effectuées de manière concrète, en approuvant tous les sujets impliqués dans le contenu et la pertinence de la stratégie, en commençant par une vidéo très explicative de cette dernière, ainsi que de chaque étape du processus dans le contenu des sessions.

En ce qui concerne l'aspect technologique, un environnement virtuel intuitif est validé, avec un contenu organisé et facile d'accès et de compréhension, un contenu téléchargeable et un travail en ligne, qui permet, en relation avec les processus de planification et de construction d'une APV, une exploration simple et une accessibilité facile du contenu, En outre, sa navigation, ses ressources d'interface et son aspect visuel sont validés, ce qui dans ce cas a été pris comme référence à la psychoiographie des couleurs, qui garantit dans tous les aspects l'investigation du processus, sans laisser un seul détail à l'appréciation subjective de l'utilisateur. En résumé, tous les aspects validés approuvent une appréhension correcte de la connaissance numérique et l'appropriation de la connaissance des participants à la stratégie, en activant les processus cognitifs nécessaires à l'amélioration de l'attention dans le domaine éducatif une fois que le travail sur le terrain est développé.

En conclusion, la stratégie soutenue dans l'environnement virtuel d'apprentissage est validée dans sa totalité par les experts, étant comprise comme le processus fondamental pour la planification de l'enquête qui favorisera de nombreux contextes, apportant des contenus et un travail social comme soutien à l'enquête socio-éducative, qui dans son contenu pédagogique et virtuel répond à une étude rigoureuse de chacun de ses composants, dans le but que la stratégie soit aussi fiable que possible et atteigne l'impact nécessaire dans les processus attentionnels.

Dans la deuxième phase du travail, on conclut que le processus attentionnel qui encadre la stratégie est idéal et conforme aux objectifs dans sa totalité, ce qui se manifeste dans les résultats de la comparaison au moyen des tests d'entrée et de sortie du processus, en obtenant une adaptabilité dans le temps, dans les capacités de base, la vitesse de traitement psychomoteur, les fonctions exécutives, la capacité d'inhibition, le séquençage, la focalisation et tous les types d'attention, tout cela au moyen de la neuroplasticité déjà mentionnée, qui encadre le stimulus spécifique de la stratégie, les fonctions exécutives, la capacité d'inhibition, le séquençage, la focalisation et tous les types d'attention, tout cela grâce à la neuroplasticité susmentionnée, qui encadre le stimulus spécifique et le convertit en un nouveau réseau de connexions neuronales et s'adapte au nouveau contexte de besoins attentionnels, améliorant ainsi les processus de la vie quotidienne.

Il convient de souligner que dans le processus de mise en œuvre, qui a duré quatre semaines et a consisté en un mois de travail et de nouveaux stimuli, l'acceptation non seulement de la participation a été importante, mais elle émane d'un besoin latent des parents de chercher des solutions et des points d'appui pour les situations quotidiennes qui sont considérées comme difficiles pour leurs enfants, Parmi celles-ci, le moment éducatif, qui est peut-être l'un des plus complexes à gérer, car il nécessite le soutien conjoint et articulé de l'équipe médicale interdisciplinaire, de la famille et de l'enseignant, afin d'orienter les actions vers leur développement intégré, à partir des particularités que le trouble peut entraîner.

Bien que l'on sache que le trouble est très particulier dans chaque cas, et qu'il ne touche que le concept attentionnel, des institutions telles que la Development and Childhood Foundation affirment que le travail doit être effectué sans interruption pendant au moins 6 mois à 18 mois en fonction des progrès et des prescriptions de l'enfant, et il est recommandé que l'activité soit liée au plan de travail annuel de l'institution afin de continuer à faire progresser les processus ; D'autre part, et contribuant à ce qui a été établi précédemment, dans les résultats comparatifs nous observons que l'enfant 4 et l'enfant 8 montrent une amélioration significative, ceci est dû au fait que dans leurs cas particuliers, ils ont le travail et le suivi d'une équipe médicale interdisciplinaire (ionoaudiologie, ergothérapie et psychologie), ce qui affirme encore l'importance de la stratégie pédagogique de l'ATENTI dans le développement attentionnel des enfants avec des signes ou diagnostiqués avec le TDAH.

Pour l'éducation, il s'agit d'une occasion unique de créer des stratégies pédagogiques ayant un impact social tel que l'ATENTI, étant donné que sa mise en œuvre dans les phases ultérieures apportera des améliorations considérables chez les enfants, en comprenant l'urgence d'une approche précoce qui ne génère pas de coûts, c'est-à-dire qui s'adresse à tout type de population et de couche socio-économique.

Enfin, en vertu de l'article 77 de la loi générale sur l'éducation, qui accorde aux écoles l'autonomie d'organiser leurs programmes et d'ajuster leur IEP en fonction des besoins du contexte, et du décret 1290 du ministère de l'éducation nationale, qui confère aux écoles le pouvoir de définir leur système d'évaluation générale, avec l'objectif fondamental de pouvoir adapter les contenus de la petite enfance à la structure de la stratégie dans des contextes où les difficultés d'attention sont définies comme un facteur de risque dans les processus éducatifs, en considérant qu'il s'agit d'un idéalisme qui se reflétera au fur et à mesure que la stratégie couvrira un plus grand nombre d'institutions éducatives.

Références

Aidyne (2018). Évaluation de l'attention. *Centre de soins, d'enseignement et de recherche psychoneurocognitifs.*

Alvarez, C. (2012). La relación teoria-practica en los procesos de ensenanza-aprendizaje. *Educatio Siglo XXI.*

Angel, A. (2017). Conceptualisation des environnements d'apprentissage virtuels. *digitk.*

Aznar, S. et Webster, T. (2009). Activité physique et santé dans l'enfance et l'adolescence. *Secrétariat général technique. Centre de publications. Ministère de l'éducation et des sciences.*

Balbuena, A., Barrio, E., Gonzalez, C., Pedrosa, B., Rodnguez, C., & Yaguez, L. (2014). *Protocole pour la détection et l'évaluation des élèves présentant un trouble du déficit de l'attention et de l'hyperactivité en milieu scolaire.* Département de l'éducation, de la culture et du sport.

Ballesteros, s. (2014). L'attention sélective module le traitement de l'information et la mémoire implicite. *Scielo.*

Buzon, O. (2005). La incorporacion de las plataformas virtuales a la ensenanza : una experiencia de formación on-line basada en competencias. *Revista Latinoamericana de iecnDlogi'a educativa.*

Caamano, C. (2018). Les clés pour améliorer l'attention/la concentration. *CeACS.*

Carriedo, A. (2014). Bénéfices de l'éducation physique chez les étudiants diagnostiqués avec un trouble du déficit de l'attention avec hyperactivité.
avec un trouble déficitaire de l'attention avec hyperactivité (TDAH). *Journal of Sport and Health Recherche.*

Cedeno, E. (2019). Les environnements d'apprentissage virtuels et leur rôle innovant dans le processus d'enseignement. *Journal des sciences humaines et sociales.*

Cobo, C. (2016). *La Innovation Pendiente. Reflexiones (y Provocaciones) sobre education, iecno'logi'a y conocimiento.* Montevideo : Editorial Sudamericana Uruguaya S.A.

Crichton, A. (1798). *Enquête sur la nature et l'origine des troubles mentaux.* Londres : Bibliotheck.

Crisol, E. et Campos, M. N. (2019). Réhabilitation des fonctions exécutives chez les enfants de 6 ans atteints de TDAH. une étude de cas. *Revista de curriculum y formacion del profesorado*, 295, 296.

De la Pena, F., Palacio, J. et Barragan, E. (2010). Déclaration de Carthagène sur le trouble déficitaire de l'attention avec hyperactivité (TDAH) : briser la stigmatisation. *Rev. Sci. Health* , 95.

Eltiempo (06 octobre 2014). Bogota est une ville pleine d'enfants hyperactifs, conclut une étude. *El Tiempo.*

Estevez, B. (2015). *L'inclusion éducative des élèves atteints de TDA/TDAH en brisant les barrières curriculaires et organisationnelles dans les écoles primaires.* Grenade : Université de Grenade.

Flores, E. (2016). Le processus d'attention et son implication dans le processus d'apprentissage. *Didasc@lia : Didactique et éducation.*

Francia, A., Migues, M., & Penalver, Y. (2018). Le trouble du déficit de l'attention avec hyperactivité, quelques considérations sur son diagnostic et son traitement. *Rev acta medica centro.*

Fundacioncadah.org (2012). TDAH et problèmes perceptivo-moteurs. *Fundacion Cadah org.*

Gamboa, M. C., Garaa, Y. et Marlen, B. (2013). Stratégies pédagogiques et didactiques pour le développement des intelligences multiples et de l'apprentissage autonome. *UNAD.*

Garces, M. et Suarez, J. (2014). Neuroplasticité : aspects biochimiques et neurophysiologiques. *Médecine ESC.*

Garces, M. et Suarez, J. (2014). Neuroplasticité : aspects biochimiques et neurophysiologiques. *ESC med.*

Garcia, M., & De la torre, M. (16 décembre 2013). LES OSCILLATIONS DU TEMPS DE RÉPONSE ET LEUR RELATION AVEC LES MESURES DE L'INATTENTION CHEZ LES ENFANTS SOUFFRANT DE TROUBLE DU DÉFICIT DE L'ATTENTION ET DE L'HYPERACTIVITÉ. *LE LES OSCILLATIONS DU TEMPS DE RÉPONSE ET LEUR RELATION AVEC LES MESURES DE L'INATTENTION CHEZ LES ENFANTS SOUFFRANT D'HYPERACTIVITÉ AVEC DÉFICIT DE*

L'ATTENTION. Madrid, Espagne : Universidad Autonoma de Madrid.
Godoy, P. et D^az, J. (2016). *Necesidades educalivas especiales asociadas a problemas de atencion y concentration.* Santiago du Chili : Atenas Ltda.
Herguedas, M. (2016). L'INTERVENTION PSYCHOMOTRICE CHEZ L'ENFANT.
CONTRASTE ENTRE LE TROUBLE DU DÉFICIT DE L'ATTENTION ET L'HYPERACTIVITÉ. *Thèse de doctorat.* Valladolid, Espagne.
Hergueras, M. d. (2016). *Intervention psychomotrice chez les enfants atteints de troubles déficitaires de l'attention avec hyperactivité.* Valladolid : Université de Valladolid.
Hernandez, R., Fernandez, C. et Baptista, P. (2010). *Metodolog^a de la Investigation.* Mexique : McGrawHill.
Hernandez, S. (2013). Séminaire de thèse. *Uaeh.*
Herrera, M. (2002). Les sources d'apprentissage dans les environnements éducatifs virtuels. *Revista Iberoamericana de education principal OEI.*
Herrera, M. (2018). Considérations pour la conception didactique des environnements d'apprentissage virtuels : une proposition basée sur les fonctions cognitives de l'apprentissage. *Revue ibéro-américaine d'éducation.*
Herrera, M. (2018). Considérations pour la conception didactique des environnements d'apprentissage virtuels : une proposition basée sur les fonctions cognitives de l'apprentissage. *Revue ibéro-américaine d'éducation.*
Hidalgo, M. et Sanchez, L. (2014). Le trouble déficitaire de l'attention avec hyperactivité. Manifestations cliniques et évolution. Diagnostic à partir des preuves scientifiques. *Pediatria Integral*, 611, 612.
Hueso, A. et Cascant, M. (2012). *Mélodologie et techniques de recherche quantitative.*
Valence : Universitat Politecnica de Valencia.
Jimenez, G., Jose, V. et Restrepo, F. (2019). Gestion des interférences dans le trouble du déficit de l'attention avec hyperactivité (TDAH) : revue. *Ces psicologia.*
LES CAPACITÉS MOTRICES DES ÉLÈVES DIAGNOSTIQUÉS AVEC UNE DÉFICIENCE MOTRICE.
LE TROUBLE DÉFICITAIRE DE L'ATTENTION AVEC HYPERACTIVITÉ (TDAH), À TRAVERS LA PRATIQUE DE L'ÉDUCATION PHYSIQUE. (n.d.).
Lange C, R. S. (30 novembre 2010). U.*S. National Library of Medicine (Bibliothèque nationale de médecine des États-Unis),* extrait de
https://www.ncbi.nlm.nih.gov/pmc/articles/PMC3000907/
Llanos, L., Garcia, D., Gonzalez, H. et Puentes, p. (2019). Le trouble déficitaire de l'attention avec hyperactivité (TDAH) chez les enfants scolarisés âgés de 6 à 17 ans. *Pediatrics Attention Primaire.*
Lopez, A., Ledesma, R. et Escalera, S. (2009). Environnements d'apprentissage virtuels. *Ilce.*
Lopez, L. (2018). *Educar la atencion como entrenar esta habilidad en ninos y adultos.* Barcelone : Plataforma actual.
Lopez, P. et fachelli, S. (2015). *Mélodologie de la recherche sociale quantitative.* Barcelone, Espagne : UAB.
Loro, M., Quintero, Gracia, N., Jimenez, B., Pando, F., Varela, P., . . . cORREAS, j. (2009). Actualisation dans le traitement du trouble du déficit de l'attention/hyperactivité. *Neurol.*
Maganto, C., & Cruz, S. (2018). Le développement physique et psychomoteur dans la petite enfance. Le *développement physique et psychomoteur dans la petite enfance*, 4-25.
Marchan, M. et Mera, O. (2020). La motricité des élèves diagnostiqués avec un trouble déficitaire de l'attention avec hyperactivité (TDAH) par la pratique de l'éducation physique. *Cognosis.*
Mena. (2017). Intervencion desde el ambito escolar en el TDAH. *Département de psicologie évolutive I didactique.*
Mena B, N. R. (2006). *El alumno con TDAH Trastorno por déficit de atencion con o sin*

hiperactividad. Barcelone : Mayo.
Mena, B., Nicolau, R., Salat, L., Tort, P. et Romero, B. (2006). *The student with ADHD.* Barcelone : Mayo ediciones.
Morales, J. C., & Rodrigue/., S. A. (2018). Les *TIC, l'innovation dans la salle de classe et ses impacts sur l'enseignement supérieur.* Bogota : Association colombienne des éducateurs-Ascolde.
Munoz, H. (2016). Les médiations technologiques : nouveau scénario de la pratique pédagogique. *Praxis & Saber*, 201-204.
Ocampo, A. (2011). Le contexte éducatif et les processus attentionnels : une approche de la culture, des émotions et du corps. *Revue de l'éducation et de la pensée*, 12.
Oliva, H. (2016). La gamification comme stratégie méthodologique dans le contexte éducatif universitaire. *Réalité et réflexion.*
Ortiz, G. (2014). La couleur. Un facilitateur didactique. *Revue de psychologie .*
Pinto, V., Melia, A. et Miranda (2009). Effets sur le contexte familial d'une intervention psychosociale complexe chez les enfants atteints de TDAH. *Escritos de Psicologia.*
Portela, A., Carbonell, M., Hechavarria, M. et Jacas, C. (2016). Le trouble du déficit de l'attention avec hyperactivité : quelques considérations sur son étiopathogénie et son traitement. *Médisan.*
Quintanar, Gomez, Solovieva, & Bonilla (2011). Caractéristiques neuropsychologiques des enfants d'âge préscolaire atteints de troubles déficitaires de l'attention avec hyperactivité. *Revista CES Psicologia*, 28.
Quintero, F. (2019). Actualizacion en el manejo del TDAH . *aepap.*
Quintero, J. et Castano, C. (2014). Introduction et étiopathogénie du trouble déficitaire de l'attention avec hyperactivité (TDAH). *Pediatna Integral*, 600.
Rincon, C. (2010). La organización escolar por ciclos. Une expérience de transformation pédagogique à Bogota. *Éducation et humanisme.*
Rodnguez, E. N. (2006). L'école et le trouble déficitaire de l'attention avec/sans hyperactivité (TDAH). *Rev Pediatr Aten Primaria*, 178.
Rodnguez, F. et Raul, S. (2015). La gamification, comment motiver ses élèves et améliorer le climat de la classe. *Digiltal-text.*
Rodnguez, M. (2014). Altérations des fonctions attentionnelles et éducatives dans la sclérose en plaques.
In *Alteraciones atencionales y de la función educativa en esclerosis multiple.*
Rodnguez, M. d., & Barragan, H. (2017). Les environnements d'apprentissage virtuels comme soutien à l'enseignement en face à face pour améliorer le processus éducatif. *Killkana Social.*
Rohde, L., Buitelaar, J., Gerlach, M. et Faraone, S. (2019). *La fédération mondiale du TDAH, GU1A.* Sao Paulo : Atmed.
Ruiz, B., Luque, T. et Sanchez, F. (2020). *Test STROOP des couleurs et des mots.* Madrid : Tea.
Salamanca L, N. M. (2014). Fiabilité intra-évaluateur du questionnaire sur les limitations d'activité et les restrictions de participation chez les enfants atteints de TDAH. *Revista Colombiana de Psiquiatria*, 26.
Salgado, C. (2007). Investigacion cualitativa : Disenos, evaluación del rigor metodologico y retos. *Dialnet*, 73.
Saza, I. (2018). Propuesta didactica para ambientes virtuales de aprendizaje desde el enfoque praxeologico. *Praxis & Saber.*
Serres, M. (2014). *Le Petit Poucet.* Buenos Aires : Fondo de cultura economica.
Solan, A. et Marianela, D. (2009). Stratégies didactiques créatives dans les environnements virtuels d'apprentissage. *Actualidades Investigativas en Educacion.*
Suarez, O. (2017). *TDAH et processus cognitifs PASS.* Espagne : Université de Vigo.
tdah, C. (2012). *Fondation CADAH.* Extrait de
https://www.fundacioncadah.org/web/articulo/tdah-actividad-fisica-deportes.html
Tomas, J. et Almenara, J. (2008). Développement cognitif : théories de Piaget et de Vygotsky. *Col*

Legi Oficial de Psi'colegs de Catalunya.
UNID. (2010). Types d'attention . *UNID Processus psychologiques de base*, 3,4 .
Vaquerizo, J. (2005). Hyperactivité chez l'enfant d'âge préscolaire : description clinique. *Neurol*, 25.
Velez, A., Talero, C., Gonzalez, R. et Ibanez, M. (2008). Prévalence du trouble déficitaire de l'attention avec hyperactivité chez les élèves de Bogota, Colombie. *Neurol COLOMBIA*.
Vinas, M. (2018). L'importance de l'utilisation des plateformes éducatives. *Letras*.

Annexes

Annexe *aInterface principale* **de l'***environnement d'apprentissage virtuel*

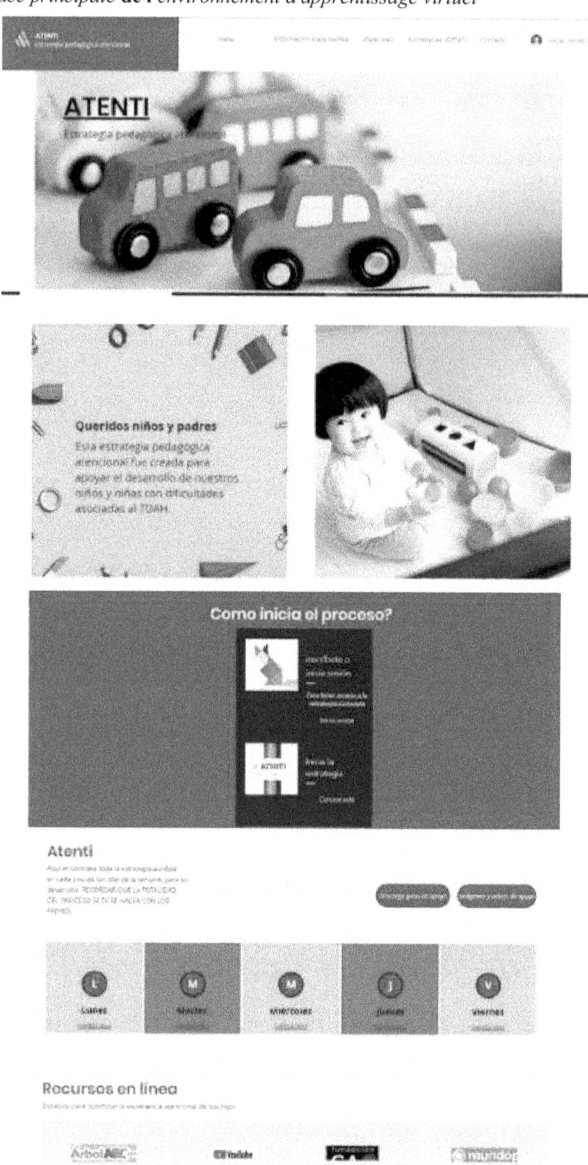

Annexe *bInformation d'interface aux parents*

Annexe *cMatériel de soutien téléchargeable sur l'interface*

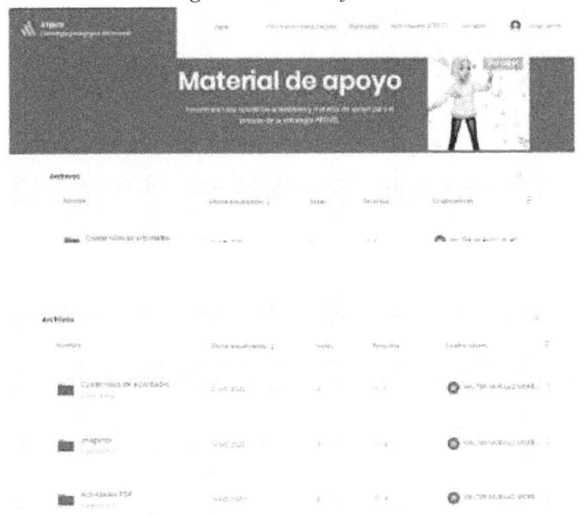

Annexe *dActivités de l'interface ATENTI*

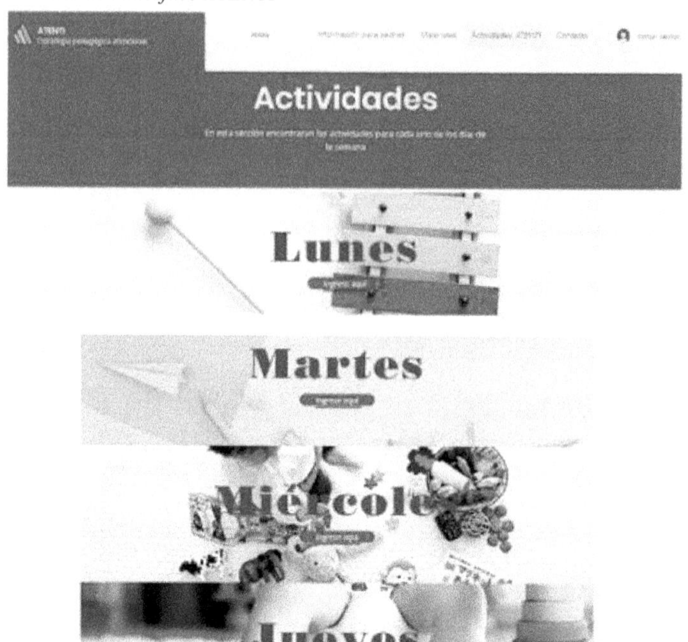

Annexe *Interface eContact*

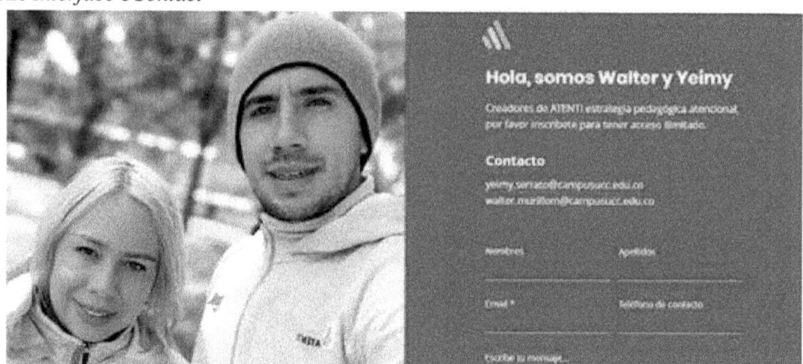

Annexe *fInterface* **d'***enregistrement et de connexion*

Regístrate

¿Ya tienes un perfil personal? Iniciar sesión

Registrarse con un email

Annexe *gActivité 2 Lundi de soutien*

Annexe *hActivité 2 Mardi de soutien*

Actividad 2: Atentiactividad

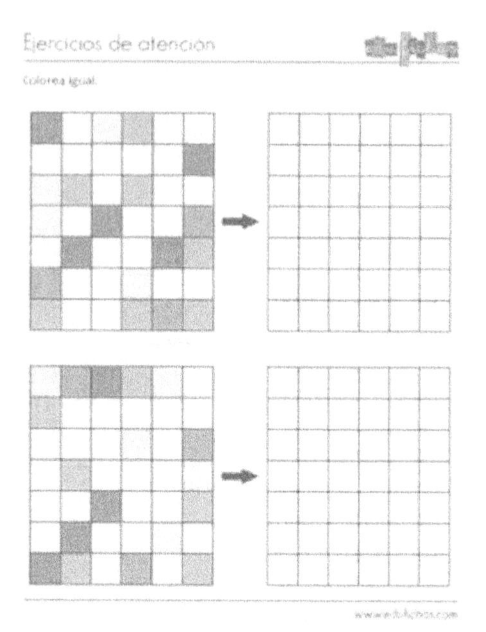

Annexe *iActivité 2 Soutien au mercredi*

Actividad 2: Atentiactividad

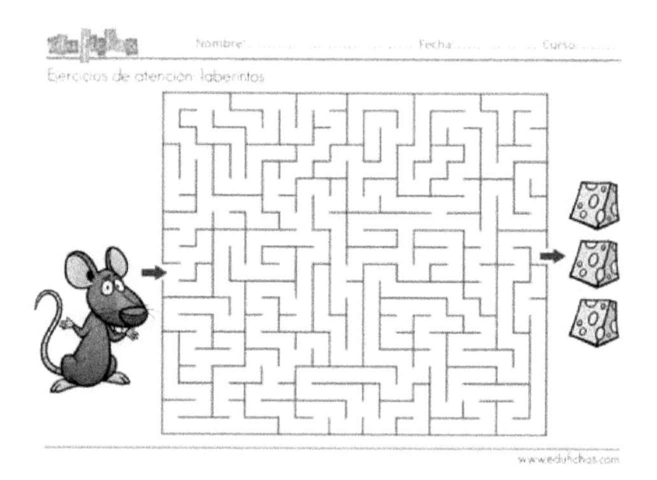

Annexe *jActivité 2 Jeudi de soutien*

Actividad 2: Atentiactividad

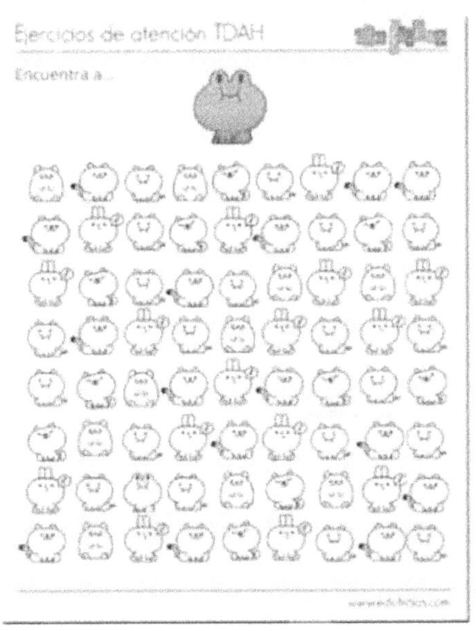

Annexe kActivité 2Support Friday

Actividad 2: Atentiactividad

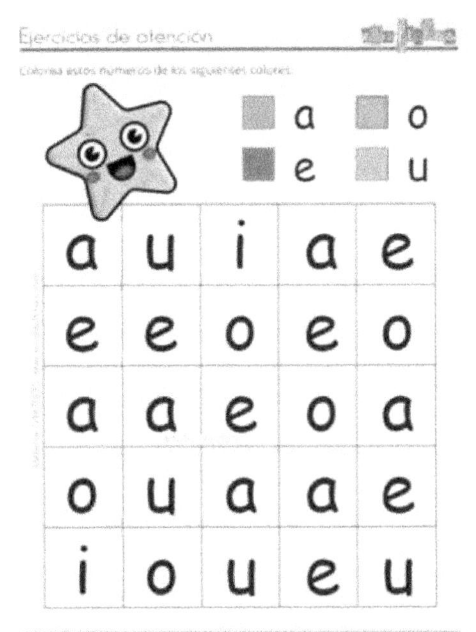

Annexe *lPlateforme Mempas, test STROPP et test de suivi TMT - pré-test et post-test*

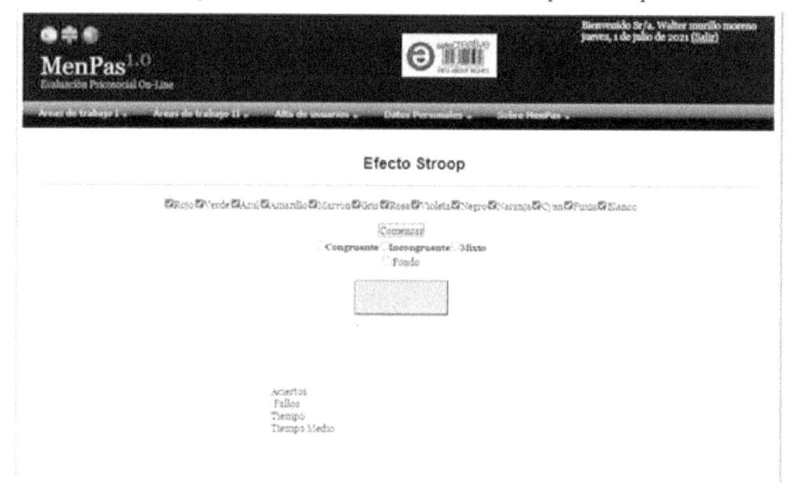

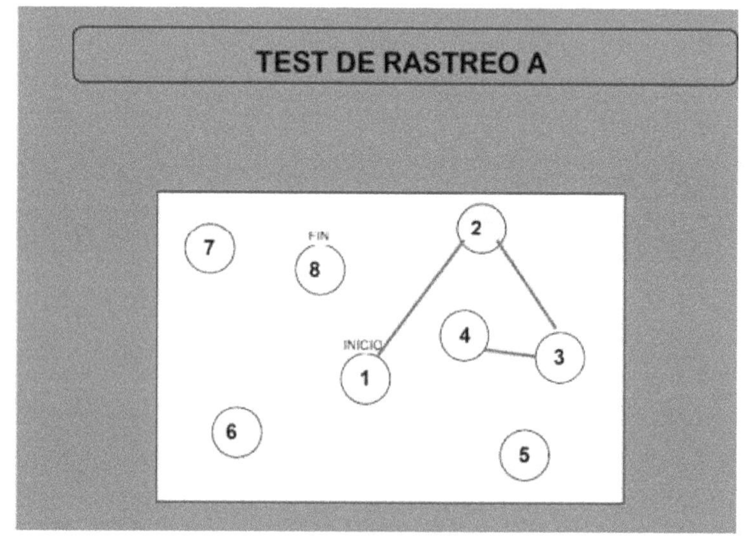

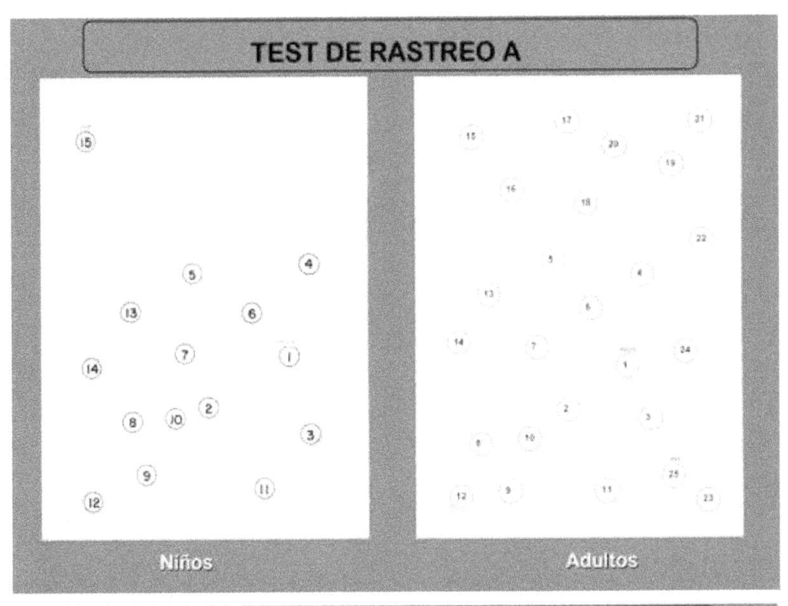
TEST DE RASTREO A
15
5
4
13
6
7
1
14
2
8
10
3
9
11
12
Niños
Adultos

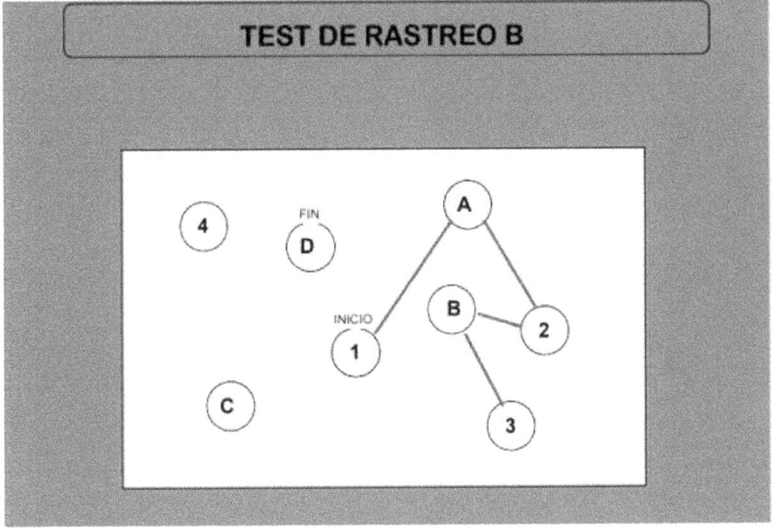
TEST DE RASTREO B
A
4
FIN
D
B
INICIO
2
1
C
3

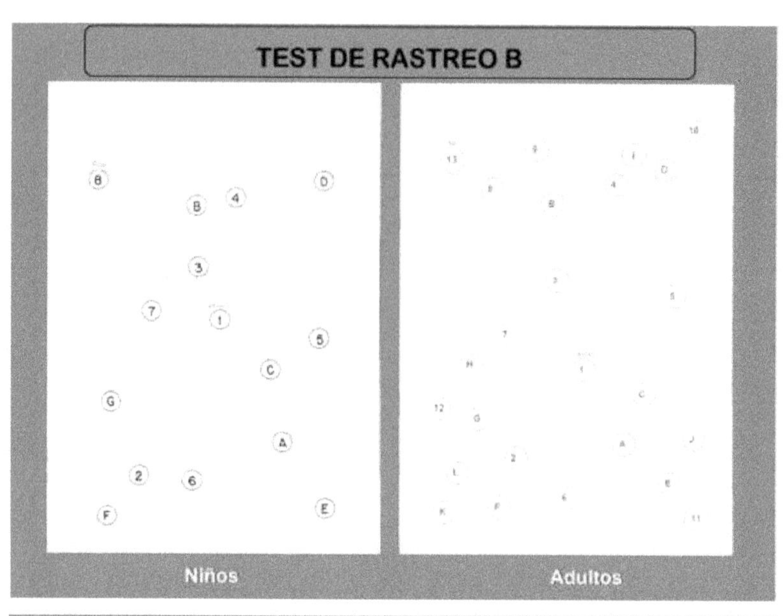

Test de Stroop

ROJO	AZUL	VERDE	ROJO	AZUL
VERDE	VERDE	ROJO	AZUL	VERDE
AZUL	ROJO	AZUL	VERDE	ROJO
VERDE	AZUL	ROJO	ROJO	AZUL
ROJO	ROJO	VERDE	AZUL	VERDE

Resistencia a la interferencia

Annexe *mConsentement d'acceptation du processus*

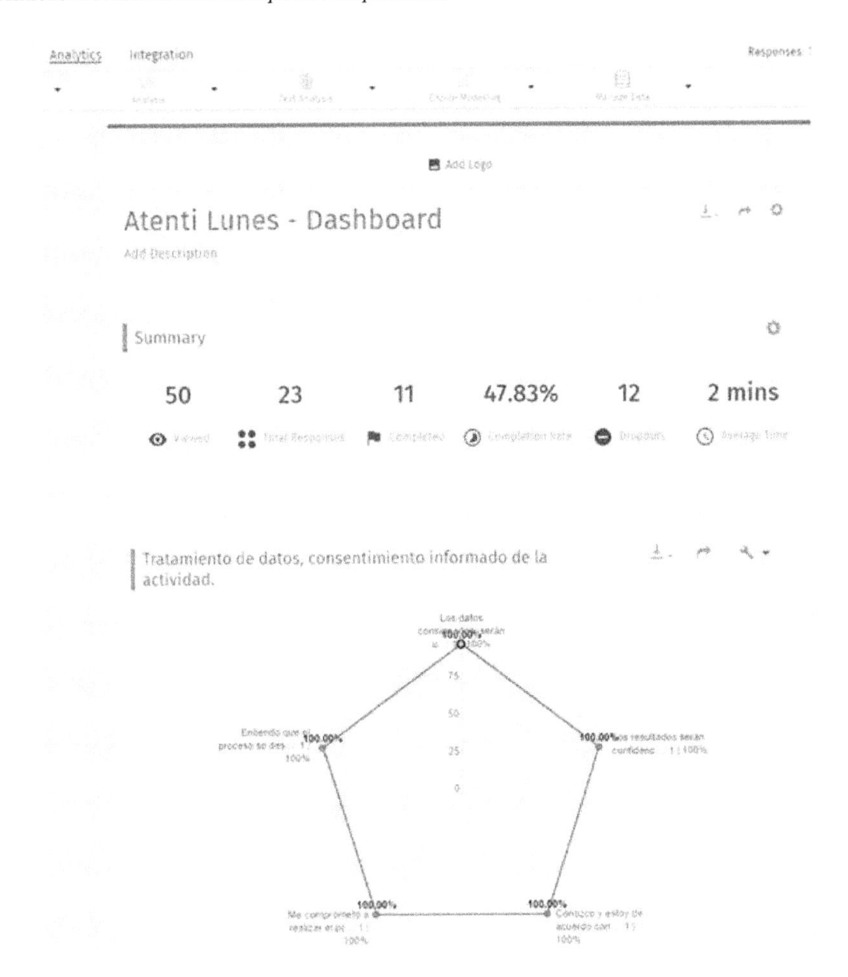

Analysis | Text Analysis | Choice Modelling | Manage Data

Powered by AI

Question	Count	Score	Acepto
Los datos consignados, serán utilizados únicamente para propósitos académicos y dentro de la investigación	[illegible]	1	
Los resultados serán confidenciales, solo se podrán utilizar dentro del proceso académico	[illegible]	1	
Conozco y estoy de acuerdo con el proceso que se desarrollará con mi hijo/a	[illegible]	1	

Los datos consignados, serán utilizados únicamente para propósitos académicos y dentro de la investigación.

Acepto : 100.00%

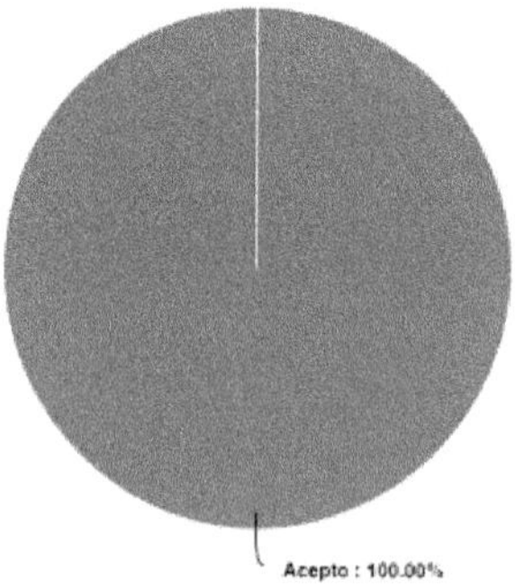

Answer	Count	Percent	20%	40%	60%	80%	100%

Los resultados serán confidenciales, solo se podrán utilizar dentro del proceso académico.

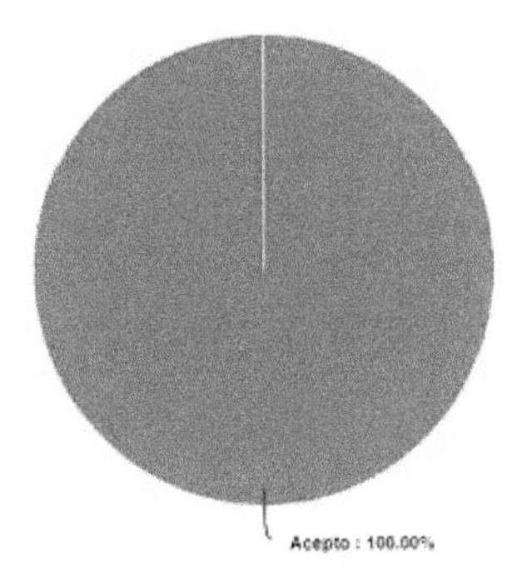

Answer	Count	Percent	20%	40%	60%	80%	100%

Conozco y estoy de acuerdo con el proceso que se desarrollará con mi hijo/a.

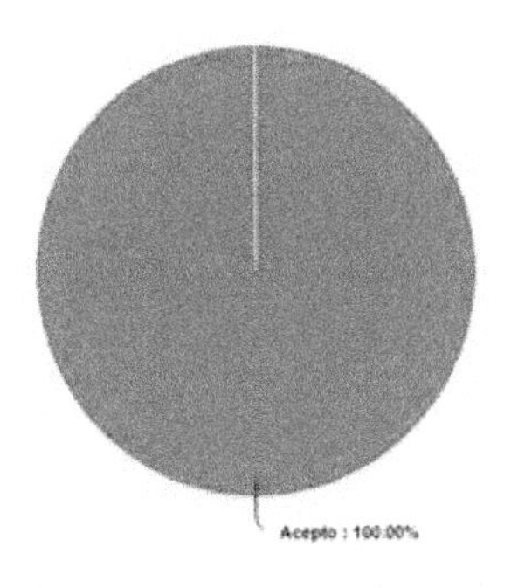

Answer	Count	Percent	20%	40%	60%	80%	100%
[illegible]	[illegible]	[illegible]					

Me comprometo a realizar el proceso de manera veraz siguiendo los parámetros establecidos por los investigadores.

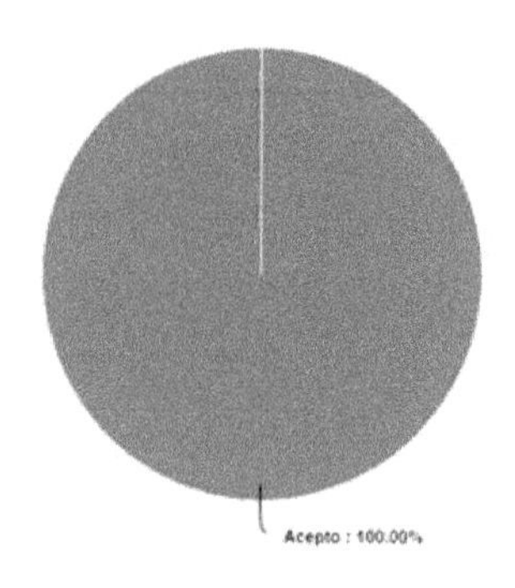

Answer	Count	Percent	20%	40%	60%	80%	100%
[illegible]	[illegible]	[illegible]					

Entiendo que el proceso se desarrollara en su totalidad de maneta virtual.

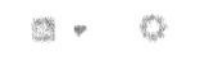

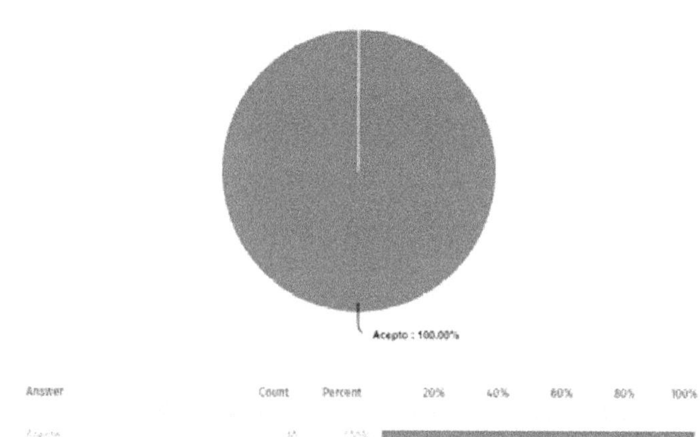

Answer	Count	Percent	20%	40%	60%	80%	100%
[illegible]	[illegible]	[illegible]					

Annexe n *Schéma de l'enquête et du suivi par session*

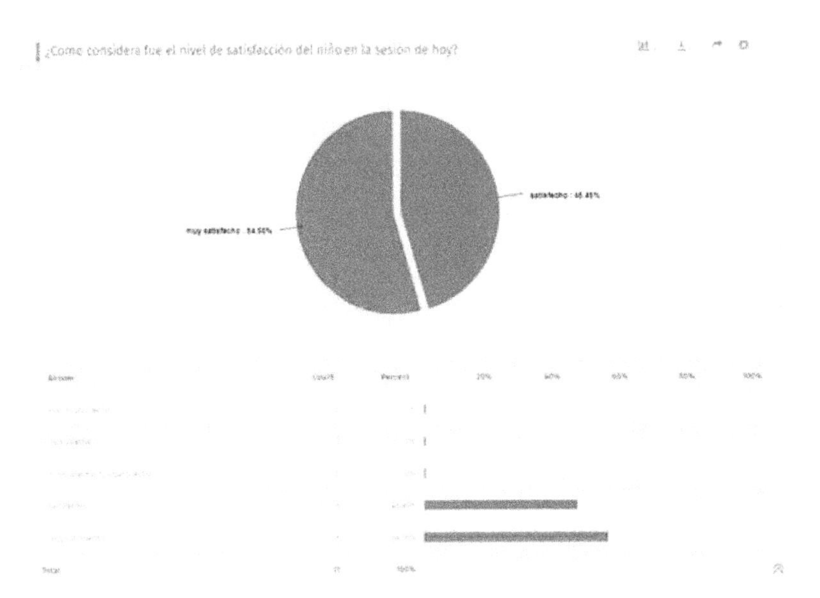

¿Recomendarías la actividad del día de hoy?

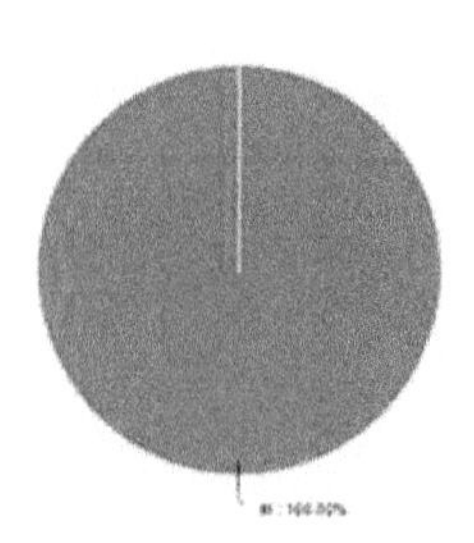

Answer	Count	Percent	20%	40%	60%	80%	100%
[illegible]	[illegible]	[illegible]					
[illegible]	[illegible]	[illegible]					
Total	11	100%					

¿Cuantas actividades realizo?

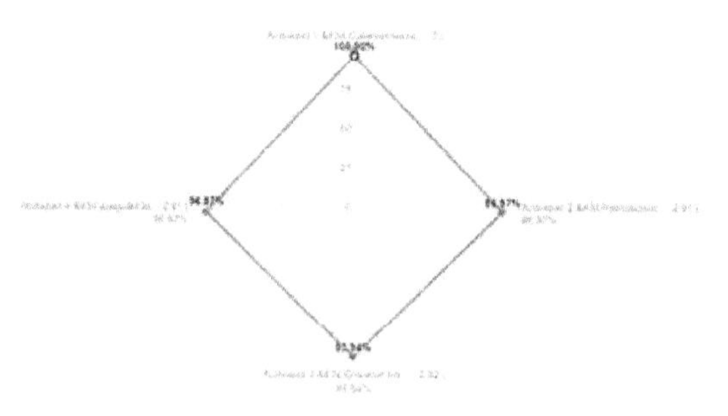

Powered by AI

Question	Count	Score	No realizo	Incompleta	Completa
[illegible]	[illegible]	[illegible]			
[illegible]	[illegible]	[illegible]			
[illegible]	[illegible]	[illegible]			
[illegible]	[illegible]	[illegible]			
Average		2.91			

¿Qué actividad le gusto mas?

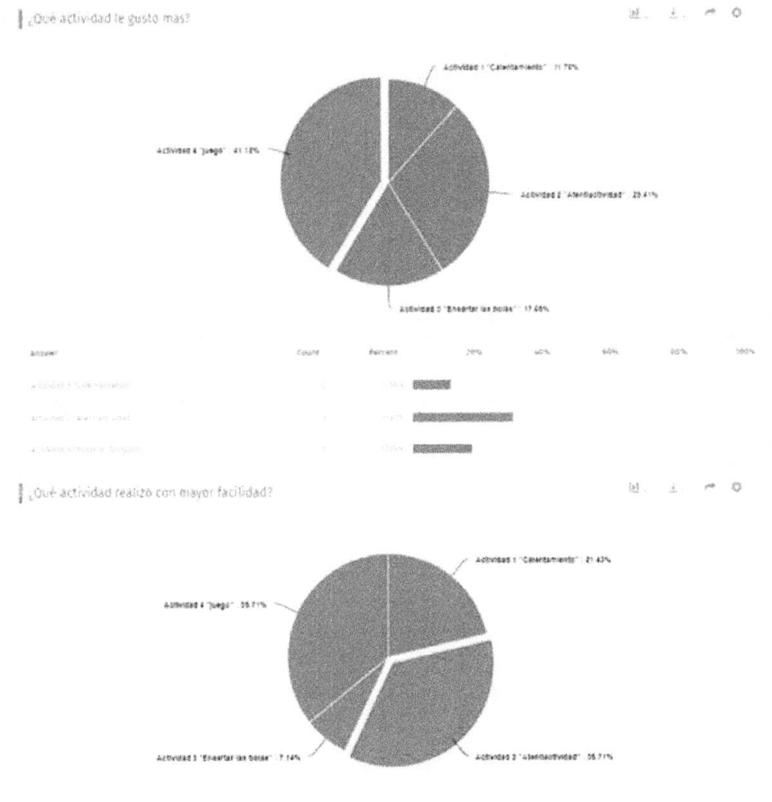

Answer Count Percent 20% 40% 60% 80% 100%

¿Qué actividad realizó con mayor dificultad?

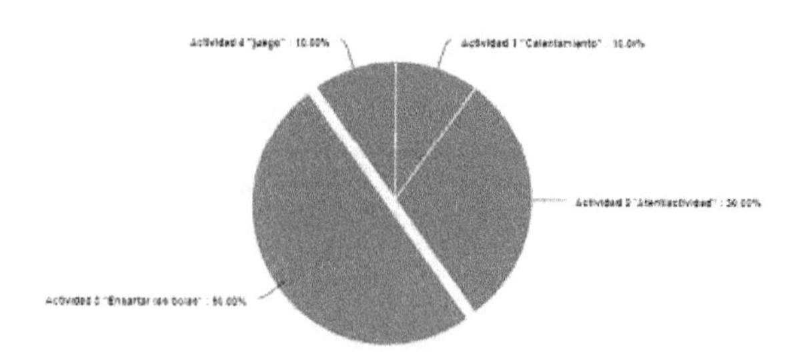

Answer	Count	Percent
[illegible]	[illegible]	[illegible]
[illegible]	[illegible]	[illegible]
[illegible]	[illegible]	[illegible]
[illegible]	[illegible]	[illegible]

Duración de cada actividad

Powered by AI

Question	Count	Score
[illegible]	[illegible]	[illegible]
[illegible]	[illegible]	[illegible]
[illegible]	[illegible]	[illegible]
[illegible]	[illegible]	[illegible]

Tiempo total de la actividad

Comentarios de la actividad

Milton Keynes UK
Ingram Content Group UK Ltd.
UKHW041851090224
437493UK00001B/68